위로는 됐고 위스키나 한잔 줘

외일명

바텐더겸 작가겸 그외 등등. 위스키와 인생의 다채로운 순간들을 깊이 탐구하며, 현대 사회에서 중요한 주제들을 섬세하게 풀어내는 작가이다. 그는 개인의 경험과 감정이 어떻게 얽히고설키는지를 진솔하고 따뜻하게 그려내며, 위로와 관계의 의미를 새로운 시각으로 재해석한다. 이 책은 독자들에게 위스키 한 잔이 주는 깊은 위안과 함께 일상 속에서 특별한 순간들을 발견할 수 있는 기회를 제공한다. 집필 도서로는 <방구석 여행가들의 일상 이야기가 궁금하니?>가 있다.

Volflamm

재미있어 보이는 판이 생기면 일단 코를 들이밀어보는 프리랜서, 그러니까 그림 용병 볼프램-Volflamm입니다. 제가 필요하다는 곳에 가서 그림을 그려주며 맛있는 술을 찾아다니다 정신을 차려보니 여기까지 왔네요. 아무튼간에... 술쟁이 둘이 즐겁게 떠들며 재롱을 좀 부려봤습니다. 즐겁게 감상해주시길!

위로는 됐고
✦ 위스키나 한잔 줘 ✦

위스키로 건네는 한 잔의 위로

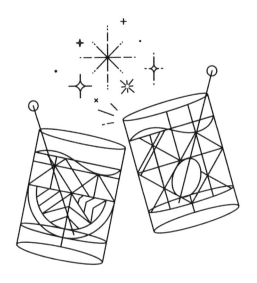

글/그림 외일명, volflamm

프롤로그

어쩌다 보니 술꾼 둘이 모여 책을 쓰게 되었습니다.

어쩌다 보니라는 말이 이렇게 맞아떨어지는 책은 없을 것 같네요. 작가의 삶 자체가 어쩌다 보니로 가득 차있거든요. 어쩌다 보니 좋은 사람들을 만나 어쩌다 보니 글을 쓰게 되었고, 어쩌다 보니 술이 좋아 바텐더가 되었고, 어쩌다 보니 그냥 저냥 살고 있네요.

뚜렷한 목표나 방향은 없지만 뭐 어떤가요? 그냥 어쩌다 보니 하고싶은대로 살고 있었을 뿐. 이래나 저래나 그냥 어쩌다 보니 살고 쓰고 마시고 있답니다.

됐으니 위스키나 한 잔 하자구요.

차례

Song to cocktail 138

작가의 편지 172

———

위로가 아닌 위스키로

———

억울하게 죽은 잭

'누가 갑자기 저 창문을 깨고 들어와서 목이나 졸라서 기절시키고 돈 안 되는 책들이나 잔뜩 훔쳐 갔으면 좋겠네. 잠도 안 오는데.' 이런 생각을 하며 유튜브 뮤직이나 뒤적거리는 시간 3시 43분. 이 시간이 딱 고비란 말이지. 잠은 애매하게 오는데 잠들면 무조건 오전이 다 사라져 버릴 시간. 오늘도 잠들긴 글렀구먼. 냉장고에 남아있는 에너지 드링크 두 캔 중 하나를 꺼내며 부스스한 머릴 대충 정리한다. 6캔 사 왔었으니 벌써 밤샘 3일 차인가?

이젠 편의점 1+1 행사에 맞춰서 그 주에 마실 에너지 드링크를 냉장고에 가득 채워두는 건 한 주의 시작에서 가장 중요한 주간 계획이 되었다. 음악은 무슨 곡이 좋으려나. 유튜브는 내 취향에 맞추었다며 내게 이런저런 다양한 장르의 곡들을 추천해 주지만 결국 늘 듣던 리스트에서 노래를 한 곡 고르고 만다. AI 알고리즘에게 파악될 정도로 알기 쉬운 인간은 되기 싫다는 중2병. 약도 없는 이 병은 언제 나으려는지. 이렇게 된 거 노래에 맞춰 술이나 한잔 준비해 볼까?

잭 다니엘이 조금 남았었나? 에너지 드링크에 잭 다니엘이나 한 샷 타 마셔야지. 아그와 밤이니 예거 밤이니 누가 지었는지도 모르는 멋진 이름의 칵테일들도 많지만 난 그냥 집에서 혼자 레시피도 없이 대충대충 타 먹는 이런 술이 더 맛있단 말이지. 언제 샀는지도 모를 바닥에 굴러다니던 나초 봉지에서 눅눅한 나초를 한 움큼 꺼내 술안주로 곁들인다. 이게 나의 새벽. 참 볼품없구나. 남들은 새벽에 일어나거나 밤을 새우면 대체 뭘 하는 걸까? 나야 이러고 술 한잔으로 시작하는 시간이 제일 좋지만.

낮 동안에는 글 쓰느라 일하느라 결국 나를 위한 시간이라는 것을 내기 힘들다. 그렇기에 온전히 나만의 시간인 이 시간이 주는 묘한 고양감이 밤을 더 특별하게 만든다. 낮에 힘들게 살았으니, 밤에 이렇게 노는 게 더 재미있고 알찬 거잖아. 낮에도 논다면 굳이 밤에 이렇게 시간을 내서 놀겠냐고. 잠은… 흔히들 죽어서나 영원히 자라고들 하잖아요? 그러니 살아있는 동안

위로는 됐고 위스키나 한잔 줘

은 이 불면증을 조금이라도 유쾌하게 즐겨보렵니다. 알코올과 함께.

너 그러다 골로 간다 골로 간다 말들 많지만, 사실 대부분의 대학생과 작가들의 삶이 이러지 않나요? 흔한 래퍼들의 가사처럼 조금 다른 시차를 살고 있을 뿐이죠. 이렇게만 써놓고 보면 남들 잘 시간까지 24시간을 아껴 뭔가 거창하게 이뤄낸 작가 같은 느낌이 들지만 아쉽게도 그냥 불면증에 걸린 놀기 좋아하는 대학생일 뿐인 나. 이러다 죽기 전에 뭐 하나라도 남겨서 네이버 검색에나 나오려나 몰라요.

말 나온 김에 죽는다는 건 뭘까요? 나름 문과에 철학을 좋아하던 청년이기에 특히나 새벽이 되면 죽음에 대한 생각을 많이 하게 됩니다. 누군가는 영원히 자는 거라고도 하고, 누군가는 윤회하며 전생하는 것이라고도 하고, 누군가는 살면서 해온 행동들의 죗값 혹은 보상을 사후세계에서 받는다고들 하는데. 기왕이면 전 영원히 자는 거면 좋겠어요. 어제 무심코 버린 길거리의 쓰레기도 생각나고, 제 책을 인쇄해 내느라 잘려 나간 나무들과 거기 살던 동식물도 생각나고, 은근히 지은 죄가 많으니 죗값을 받는다면 무섭잖아요? 불면증으로 계속 고통받고 있으니 죽어서 정도는 좀 편안하게 잠들어서 수면의 행복을 누려

봐도 될 것 아닙니까. 그래야 살아있는 동안 잠 못 들어 괴로워하더라도 괴로워할 시간에 '잠은 나중에 자면 되지'라고 생각하며 좀 더 놀아봐야지.

그래서 아직은 잠들기엔 시간이 너무 아깝고 노는 게 좋은가 봐요. 바에서 일하는 시간이 너무 재밌고, 밤산책을 나와서 들을 노래를 고르는 시간이 너무 재밌거든요. 주말에 시간을 내서 초대할 친구들을 위한 요리를 하고 요리에 맞는 칵테일을 구상하는 시간이 재밌거든요. 너무 힘들고 귀찮지만 이렇게 짬을 내어 글을 쓰는 시간조차 재밌는 걸요.

이렇게 낙관적인 생각을 하면서도 죽음과 우울함에 관한 얘기를 털어놓는다는 사실도 웃기지만. 감사하게도 아직 좋아하는 사람과 좋아하는 일이 많은 제 삶이 조금은 긍정적으로 여겨진답니다. 아직 죽을 생각하긴 멀었구나 싶어서요. 가고 싶은 콘서트도 많고, 여행도 더 다녀보고 싶고, 먹고 싶은 요리, 마셔보고 싶은 술, 가격이 무서워 손댈 생각조차 못 한 위스키와 와인. 아직 죽지 못해 살아가야 할 이유가 이렇게나 많은걸요.

아깝잖아요. 이대로 잠만 자기엔. 적어도 누구보다도 위스키 브랜드의 사장답게 죽은 잭 다니엘처럼 이름은 남기고 죽어야죠. 묘비명에 그래도 해보고 싶은 것 다 해보고 나 이 세상 소풍 잘 즐기다 가노라 한마디 정도는 떳떳하게 남기고 가야할 것 아닙니까. 그래도 명색에 작가인데. 오늘도 이 새벽에 홀로 눅눅해진 나초를 씹으며 잭 다니엘 한잔을 다시 기울입니다. 너무나 좋아하는 박소은 가수님의 노래처럼 오늘도 '좀 더 살아 보려구요'

TMI. 잭 다니엘은 자기 개인금고를 열지 못해 화가 난 나머지 금고를 발로 찬 뒤 그 상처로 인한 패혈증으로 사망했답니다.

─── 잭 콕 레시피 ───

준비물
잭 다니엘 60ml(2oz), 콜라 240ml

만드는 법
준비한 얼음 잔에 잭 다니엘과 콜라를 부어준 뒤 잘 섞어줍니다!

심플하지만 달달한 바닐라 향과 콜라 향이 잘 어울리는 칵테일. 콜라 말고 다른 음료를 다양하게 도전해보세요! 전 진저에일 또는 에너지 드링크에 잭다니엘 조합을 제일 좋아한답니다. 레몬이나 라임을 한 조각 추가해 넣으시면 상큼함이 업!

간단 스낵 설탕 누룽지

준비물

누룽지 적당량. 설탕

만드는 법

1) 누룽지 적당량에 취향껏 설탕을 뿌립니다. (취향에 따라 라면 스프나 후추를 추가해보시면 더 과자 같은 느낌이 난답니다)

2) 전자레인지에 30초~1분 정도 설탕이 녹아들도록 돌려 줍니다. 따끈할 때 바로 드세요!

적당한 달달함에 누룽지의 고소함, 안주로 어울리는 쫀득함과 바삭함까지. 의외로 기본 안주로 계속 손이 가는 설탕 누룽지 한번 만들어 보세요! 집 찬장에 계속 누룽지를 구비해두시게 될걸요?

위로는 됐고 위스키나 한잔 줘

잭 다니엘 첫인상

2014년의 일입니다. 아마 동아리 MT 가기 전날이었던 것 같은데,
주구장창 마시다가 한두명씩 사라지기 시작하면 꺼내들 목적으로
맛있는 술을 준비하려고 했죠. 두 병은 원래 목표물이었고,
한 병은 충동구매였는데 그게 아마 잭 허니가 아니었을까.

사실 기억이 잘 안 납니다.
오리지널 잭다니엘을 샀다고 기억하고 있었는데
앨범 뒤져보니까 그것도 아니고, 잭허니를 어떻게 마셨는지도 모르겠고.
분명 미도리는 우유에, 피치트리는 오렌지 주스에 타먹었을 건데...

음주는 필름 안 끊길 정도로 적당히...

작가 그 가벼움에 관하여

사실 떳떳하게 작가라고 잘 칭하지도 않고 글쓴이라 칭하고 다니는 저이지만 이번이 벌써 두 번째 출간이랍니다. '방구석 여행가들의 일상 이야기가 궁금하니?'라는 책으로 첫 출간 후 외 1명이라는 필명을 가지고 쓰는 기념비 적인 첫 책이 바로 이 『위로는 됐고 위스키나 한 잔 줘』 이지요. 제멋대로 사는 저이지만 유독 작가라는 말은 뭔가 무게가 느껴져서 잘 안 쓰게 된단 말이죠. 시인이나 작가를 동경해 국문과에까지 진학한 저라서 더 그럴지도 모르지만 가끔 지인들이 '오~ 이제 외 1명 작가님인가?'라는 말을 할 때마다 부끄러움에 고개를 들지 못하는 저입니다.

제 상상 속의 작가라고 한다면 뭔가 일상에서도 멋있는 말을 쓰며 수첩을 들고 다니며 글감을 수집하고 저녁엔 단골 바에서 위스키를 한잔 기울이며 자신이 쓰고 있는 주제에 대해 주변 사람들이나 바텐더와 격조 높은 대화를 나누는 그런 사람이 생각나는데, 저는 정작 진짜 뭔가 생각날 때만 어떻게든 핸드폰 메모장에 키워드만 저장해뒀다가 새벽 감성이 올라오는 시간이 되어야지만 간신히 몇 문장이라도 끄적일 수 있는 그런 아마추어인 걸요. 일본의 모 유명 작가님은 쓰고 보니 복선이라 자기도 놀라서 이야기를 맞춘다거나, 하루 몇 페이지 이상씩을 꾸준히 적어서 모아둔다거나 하는 프로다운 모습에 대한 인터뷰를 늘어놓지만 전 당장 3시간 전에 쓴 글의 문단도 기억이 나지 않아 노트북의 파일을 뒤져야만 한답니다.

시도 쉽게 쓰여서는 안 된다고들 하는데 이런 수필과 긴 글도 이렇게 얄팍하게 금방 쓰여도 될 일인지. 사실 요즘 흔히 얘기들 하는 1인 크리에이터 시대에 '겨우 작가가 무슨 대수냐, 책 한 권 냈으면 작가지라.' 하시는 분들도 계시지만 제가 생각하는 작가란 그런 단순한 게 아니라고요! 뭔가 자기만의 작품관이 철저하고 자기만의 세계관이 있고 뚜렷한 글의 목표가 있는 그런. 그 뭔가 뭔가의 멋진 작가의 모습이란 게 보통 있지들 않습니까. 좀 중후하기도 하고 가끔 병적이게 보이기도 하고 글에 모든 걸 바친 듯한 그런 어딘가 나사 빠진 그런 인간들 말이에요. 아직은 전 그 정도는 아니라고요.

그런 주제에 참 잘도 책을 출간하고 필명을 내걸어 놓았다는 사실도 웃기지만 조금이라도 동경하던 모습에 다가가려면 이런 식으로라도 꾸준히 적어 가는 수밖에 없겠죠. 하루 몇 페이지까진 무리더라도 글감이 생각나는 대로 몇 문장이라도 적어 두려 노력하는 그런 마음이랍니다. 이렇게 적어나가다가 몇 문장만이라도 글을 읽으시는 분들이 조금의 위안이나 감동을 얻어갈 수 있길 바라며 꾹꾹 눌러 담아 적고 있지만 아직은 갈 길이 멀 군요. 잠깐 스쳐 가는 글이 될지 여러분에 기억 속에 외 1명이라는 필명이 남을 수 있을지는 몰라도 우선은 제가 동경하고 목표로 하던 그런 멋진 작가의 모습을 위해 오늘도 글을 씁니다.

안녕하세요. 아직은 초보 '작가' 외 1명이라고 해요. 앞으로도 잘 부탁드린다고요!

드라이 마티니

준비물

진 45ml(1.5oz), 드라이 베르뭇 아주 약간

만드는 법

진 45ml에 드라이 베르뭇을 있는 듯 없는 듯 최대한 적게 한 방울 똑 떨어트려 섞어줍니다. 완성!

마치 저처럼 존재감 없는 베르뭇의 향을 최대한 집중해서 느껴봐야 하는 그런 마티니. 베르뭇처럼 스쳐 지나가는 저이지만 잘 부탁드려요.

콘 치즈

준비물
마요네즈, 옥수수 캔, 모짜렐라 치즈, 체다 치즈, 후추, 맛소금, 설탕

만드는 법
1) 옥수수 캔을 체에 걸러 물기를 제거하고 알맹이만 준비해줍니다.
2) 옥수수 알갱이에 마요네즈 4큰술, 후추 1큰술, 맛소금 반 스푼, 설탕 한 큰술을 넣고 잘 섞어줍니다.
3) 그릇에 옮겨 담은 뒤 치즈를 위에 얹고 치즈가 녹을 때까지 전자레인지 또는 오븐에 돌려줍니다.

횟집에 가면 계속 콘 치즈만 퍼먹게 되는데, 저만 그런가요? 분명 조연 반찬일 텐데 주연인 회보다도 계속 손이 가는 콘치즈. 저도 그런 외 1명이 될 수 있다면 좋겠네요.

위로는 됐고 위스키나 한잔 줘

#용병의삶

책도 만들어보고, 책 홍보용 전시회도 여는 진귀한 경험을 했는데,
그럼 저도 나름 작가 타이틀이 붙었다고 할 수 있을까요?

(감사하게도) 절 필요로 해 주는 분들이 있어 이곳저곳 가서
그림 그려주는 일을 하긴 했지만, 이런 제게는 아직은
용병이란 표현이 더 어울릴 것 같습니다.

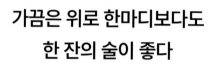

가끔은 위로 한마디보다도
한 잔의 술이 좋다

인생이 힘들다 느껴질 때 조금이라도 위로를 받고 싶어 주변에 많이도 투정을 부리고 많은 위로 에세이들을 읽어왔답니다. 그중 몇 권과 친구들의 위로는 제 생각을 바꿔주고 많은 위로가 되어주었지만, 대부분은 글쎄… '그래서 어쩌라고?' 라는 생각밖엔 안 들더라구요. 제가 너무 삐뚤어졌나 싶기도 하지만, 솔직히 어중간한 위로는 인생에 도움이 안 되는걸요. 제일 듣기 싫은 머리말, '널 위해서 얘기해주는 건데~', '많이 힘들었겠다…' 저도 너무 잘 알아요. 저 힘든 거, 누군가는 왜 굳이 아프고 힘들다는 사람 옆에서 성경을 읽어주는 건지, (전 무교인데…) 딱히 해줄 말이 없어서 간신히 건넨 위로인 거 잘 알겠지만. 저 보고 뭘 어떡하라구요.

이런 삐뚤어진 제 심보를 아는 착한 친구들은 다른 말 하지 않고 카톡 하나를 남겨둔답니다. '술 한잔할래?' 콜. 별말 없이 술잔만 나누지만 그래도 함께 있는 그 순간만큼은 마음이 편해진답니다. '그래, 그래도 너는 별말 없이 나랑 술 한잔하러 나와주는구나. 나름 잘 살았네. 고맙다 친구야. 기왕이면 술값도 네가 내 주렴'. 이런 생각을 하던 와중에 이 책을 처음 생각해 내게 되었답니다. 가끔은 어쭙잖은 위로보다 위스키 한 잔이 낫구나.

장난 같고 삐딱해 보이는 제목이지만 정말 가끔은 위로보다는 위스키 한 잔이 더욱 필요한 사람들이 있답니다. 마치 저처럼요. 그냥 다 괜찮으니, 오늘은 한잔하고 좀 나아진 기분으로 집에 들어가서 씻고, 푹 자고. 내일은 괜찮아지겠지. 그러니 일단 한 잔 줘. 기왕이면 독한 놈으로.

이게 사람들이 바에 오는 이유 아닐까 싶어요. 당연히 집에서 마신다면 더 편하고 싸게 한잔할 수 있겠죠. 하지만 별 얘기를 하지 않더라도 그냥 한잔 홀짝이는 동안 누가 곁에 있어 주기만 해도 위로 받는 기분이니까. 애인과 헤어졌어요. 한잔해. 친구와 싸웠어요. 한잔해. 성적을 말아먹었어요. 한잔해. 오늘도 대머리 상사가 지랄했어요. 넌 두 잔 마셔. 그 외 등등. 다 됐으니 일단 지금은 한잔하자. 뭐 또 괜찮아지겠지.

건강을 위해서라도 술을 줄이고 평온한 삶을 유지하려는 저지만 가끔 힘들 때 결국 생각나는 건 친구와 위스키 한 잔이더라고요. 둘이 만나서 고민 상담은커녕 실없는 소리만 늘어놓다가 취하더라도. 뭐 괜찮아 알아서 하겠지. '난 너 믿는다.'라고 하는 듯한 친구가 건네는 위로 아니 위스키 한잔. 가끔은 괜찮잖아요. 이런 한 잔이더라도. 혹시나 이 책을 읽는 여러분 중에서도 위로가 필요한 그런 분이 계신다면. 뭐 위로는 됐고, 이리 와서 위스키나 같이 한잔해요.

위로는 됐고 위스키나 한잔 줘

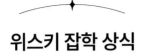

위스키 잡학 상식

위스키 한 잔을 한 샷이라 부르는 건 서부 개척시대에 술집에서
술 한잔을 총알 한 발과 교환하던 것에서 유래되었다고 해요.

미국과 아일랜드는 whiskey라 표기하고 스코틀랜드, 캐나다,
일본은 whisky라 표기한다고 하네요. 만든 곳에 따라서 철자
가 달라지는 거죠.

위스키를 즐기는 방법은 보통 니트, 온더락, 미즈와리, 하이볼
등등이 있지만 개인 취향에 따라 위스키 자체의 향을 그대로
즐기고 싶다면 니트로, 얼음이 녹으면서 부드러워지는 위스키
의 맛을 느끼고 싶으시다면 온더락을 추천해 드려요.

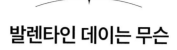

발렌타인 데이는 무슨

좋아하는 것도 많고 좋아하는 사람도 많은 저이지만 오히려 사랑이란 늘 어렵기만 하답니다. 전 기타도 사랑하고, 술도 사랑하고 하는, 일들도 돈이 안 된다고 투정하지만 애정을 가지고 있죠. 하지만 정작 누가 날 사랑한다는 마음은 늘 무섭고 어렵답니다. 대체 절 왜? 이 책을 읽고 계신 분들도 마찬가지로 '더 재미있고 인기 있는 작가들도 많을 텐데 굳이 마이너한 제 책을?' '혹시 홍대병이신가요?'라고 되물어 보고 싶은 마음입니다. 혹시나 언젠가 유명해져서 사인회라도 하게 된다면 고정 질문이 되지 않을까 싶네요. '대체 제 글 왜 좋아하시는 거 에요?' 질문을 하기 위해서라도 유명해지기 위해 더 열심히 글을 써야겠죠.

어색함에 이런저런 얘기를 두서없이 늘어놓았지만 전 제가 사랑하는 데에는 문제가 없는 극심한 금사빠(금방 사랑에 빠지는 사람)이지만 제가 사랑받는 것에 대해서는 늘 의심을 가지고 무서워한답니다. 부모님도 아니고 갑자기 제삼자가 절 좋아하신다고요? 너무 소설 같은 일이잖아요. 사랑받는 만큼 보답을 해드려야 할 것 같다는 중압감이지만 제가 할 수 있는 건 글이나 열심히 쓰는 것 인걸요. 사실 누군가라도 제 글 또는 저를 사랑해 주신다는데 이런 이야기를 한다는 것 자체가 크나큰 사치로 느껴지지만 그래도 무서운 건 무서운 거죠. 전 아직까지도 받는 것 보다는 주는 게 편한 호구의 극치인가 봅니다.

그러면서도 은근히 관심 받는 건 좋아해서 계속 사람들과 어울리고 싶고 글을 쓰고 싶어요. 사랑받는 건 무서우면서 관심 받는 건 좋다니 이게 무슨 모순인지. 책을 내면서도 본명보다는 외 1명이라는 필명을 고집하지만 그래도 한편으로는 누군가 알아줬으면 하는 이 마음... 참 어려운 사람이구나 싶습니다. 그러니 일단은 제가 사랑하는 것들이라도 더 아껴주면서 살아야겠죠.

바를 꾸미고 저에게 관심 가져주는 친구들을 초대해 좋아하는 칵테일과 요리를 대접하면서 만족하는 그런 삶을요.

이젠 다들 자신의 길을 찾아가시느라 바빠진 친구들과 혼자 있는 시간에 익숙해져야 할 나이가 되어버린 저이지만 그래도 아직은 예쁘고 편안하게 꾸며둔 공간에서 열심히 일하고 글 쓴 돈으로 발렌타인이라도 한잔 내어주며 매일 발렌타인데이처럼 설레는 사랑을 하며 사는 삶이 되기를. 아직은 사랑받는 게 무섭다 할지라도 뭔가를 사랑하는 걸 겁내서 혼자 떨고 있는 삶은 되질 않기를. 오늘도 기도하며 다음 주말엔 또 누구와 한잔을 느긋이 즐겨볼까 고민하며 이 글을 마칩니다.

──── 발렌타인데이, ────
연인에게 생색내며 만들어 주기 쉬운
베일리스 밀크 변형 레시피

준비물

베일리스 30ml(1oz), 우유 적당량

이렇게만 섞어준다면 기본적인 베일리스 밀크로 달달하고 부드럽게 마시기 좋지만 흰 우유 대신 밀크티나 다른 맛의 우유를 써도 맛있고 위에 생크림을 추가해준다면 더 달달하고 비주얼까지 업그레이드된답니다. 칵테일 한잔으로 사랑받는 애인이 되어보세요!

브리치즈 카나페 레시피

준비물

크래커(짭짤한 게 좋아요), 브리치즈(다른 치즈도 좋지만 전 브리 치즈의 부드러움이 좋아요), 좋아하는 과일(샤인머스캣 강추!), 메이플 시럽 또는 꿀

만드는 법

크래커 위에 크래커에 맞춰 자른 브리치즈와 과일을 얹고 메이플 시럽이나 꿀을 살짝 뿌려 주기만 하면 완성!

단짠단짠과 치즈의 부드러움이 어울려 와인이나 위스키 안주로도 딱 좋은 안주. 여러가지 변형이 가능하니 취향대로 만들어 드셔보 세요!

베일리스 밀크 더 맛있게 먹기

1. 쉐이커 안에 베일리스와 우유를 취향껏 따라줍니다.

텀블러나 뚜껑 달린 물병을 대신 쓰셔도 좋습니다.

2. 한 손으로는 뚜껑을, 반대쪽 손으로는 쉐이커 바닥을 잘 잡아주시고...

위로는 됐고 위스키나 한잔 줘

3. 열라 강하게 흔들어줍니다.

※안 새게 조심하세요.

4. 풍성한 거품이 생기면서 베일리스 밀크가
한층 더 부드러워집니다.

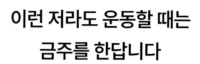

이런 저라도 운동할 때는
금주를 한답니다

영양제도 안 챙겨 먹고, 운동과는 전공 공부하는 것보다도 거리를 둔 저였지만 최근 들어 운동을 시작했답니다. 사실 시작했다기보다는 시작 당했다는 표현이 더 맞을 듯한데, 운 나쁘게도 접질렀던 발목이 더 아파져서 재활운동을 하지 않으면 서있지도 못할 거라는 의사의 통보에 병원을 다니며 치료를 받으며 시작했던 운동을 어쩌다 보니 꾸준히 하게 되었네요.

그렇다고 막 미친 듯이 매진하는 건 아니지만 이전보다는 건강한 식단과 하루 최소 40분 이상의 유산소, 집에서도 아령으로할 수 있는 근력운동은 지키려고 노력 중이랍니다. 운동을 하면서 느낀 점은 몸은 배신하진 않지만 참 까다로운 친구라는 것과 생각보다 저는 술을 잘 참는다는 것이었습니다.

8킬로 감량을 목표로 운동을 시작한 지 (글을 쓰는 지금을 기점으로) 두 달, 4킬로 감량을 하면서 평생 먹은 치킨보다도 많은 닭가슴살과 샐러드를 섭취하는 기염을 토하는 중입니다. 일주일 내내 3끼 모두 닭가슴살과 고구마만 먹은 주는…. 사람이 배가 고파도 무언가를 먹는 게 싫어질 수 있다는 새로운 깨달음을 얻었습니다.

운동을 하면 술은 금지라기에 주변 헬스에 미친 친구들의 조언을 받아들여 조금씩 배워 나가며 열심히 배워가는 중이지만 아직까지도 친구들이 말하는 운동 후에 맛있게 먹었다 라는 표현은 이해하기가 힘듭니다. 제가 먹은 거라고는 숨넘어가기 직전에 마신 물 500ml와 스쾃하다가 죽은 사람은 없다는 친구의 함성 뿐 이였는데 말이죠. 그래도 20대 후반에 접어들며 이 이후로는 도저히 몸 만들기는 무리라는 생각에 생애 처음으로 제 복근(그런 것이 존재는 한다면)에게 햇빛을 보기 위해 노력하는 중입니다. 더 건강해져야 오래오래 일하고 먹고 싶던 술 한잔하고도 배 나온 아저씨가 되는 불상사는 피할 수 있겠죠…

참 들인 노력과 고생에 비해서는 보답이 적다 느껴지지만 그래도 특히나 술 좋아하는 사람들에게 건강은 중요한 문제니까요. 근력운동을 끝내고 나서 느껴지는 셀프 고문의 아픔은 늘 적응

이 되지 않는답니다. 운동을 하면서도 몇 번이고 내가 이 짓을 해서 얻는 게 뭐라고…라는 생각을 하고 말죠. 그래도 다행히 조금 무게가 줄어든 것이 티가 나는지 주변 사람들이 살 빠졌다, 얼굴이 이제야 봐 줄 만해졌다 등의 칭찬을 아끼지 않고 해주기에 조금 더 버티면서 운동을 지속하는 중이랍니다. 언젠가 이 자체 고난의 길이 끝난다면 하이볼 한 잔 시원하게 원 샷하고 싶네요. 그때까진 또 이 천국(지옥)의 계단을 올라야겠죠.

프로틴 쉐이크를 조금이라도 더 맛있게 먹어보자

집에 텀블러나 쉐이커가 있다면 도전해보세요!

준비물
바닐라 또는 우유 맛 프로틴 드링크, 에스프레소 2샷

만드는 법
쉐이커에 얼음, 프로틴 드링크, 에스프레소 샷을 다 넣어준 뒤 전완근이 불타오르도록 흔들어줍니다. 잔에 부어 거품이 올라오는 게 보였다면 완성!

이걸로 뭐가 달라지냐고 하실 수도 있지만 부드러운 거품이 추가된 맛있는 라떼를 먹는 느낌이 난답니다. 도전해보세요!

위로는 됐고 위스키나 한잔 줘

치팅데이를 위한 방방지

준비물

닭가슴살 1쪽, 참깨 드레싱, 오이 1개

만드는 법

1) 닭가슴살은 결대로 잘 찢어둡니다.

2) 오이는 반은 얇게 슬라이스 반은 채썰어 준비해둡니다.

3) 채 썬 오이와 닭가슴살을 참깨 드레싱과 함께 취향껏 설탕과
   소금을 추가해 버무려줍니다.

4) 얇게 슬라이스 한 오이로 꾸민 접시 위에 닭가슴살을 얹어주
   면 완성

비워내야 할 게 속만은 아니잖아요

저는 자타공인으로 참 이런저런 일들을 많이 겪는 트러블 메이커랍니다. 이리저리 돌아다니기 좋아하는 성격과 즉흥적인 인생관, 거기에 망상을 자주 하는 사고까지 삼위일체를 펼쳐 온갖 일에 휘말리곤 하죠. 그래서 늘 머릿속이 엉망진창이랍니다. 글을 쓰면서도 아 아까 그 문장은 쓰지 말아야 했나? 사람을 만나면서도 아, 내가 너무 무례하게 대했나? 혹시 상대가 상처받았으면 어쩌지? 생각은 많은데 정작 행동으로 사려깊게 나오진 않으니 참 고쳐지기 힘들다 싶습니다.

그렇게 머릿속이 복잡하던 차에 갑자기 어디론가 떠나고 싶어서 무작정 표를 예매하고 일본에 다녀왔답니다. 후쿠오카 3박4일. 당연하다는 듯이 무계획 무근본 여행. 아무런 일정 없이 오직 숙박과 비행기 표만 예매해서 간 여행.

그저 하루 종일 발길 닿는 곳으로 무작정 번화가도 아닌 거리를 걸어보기도 하고 야시장을 둘러보기도 하고 신사가 있기에 구경도 해보고. 머릿속을 비운 채 그저 발길 닿는 대로만 움직였답니다. 입간판에 맛있어 보이는 메뉴가 있다면 우선 들어가서 주문을. 편의점에서 처음 보는 음료가 있다면 한 캔. 그렇게 3박 4일을 보내고 나니 멍한 것과는 다른 머리가 상쾌하게 비워진 느낌이 들더라고요.

숙취가 심한 날 속을 비워내면 개운하듯이 가끔은 그냥 아무 생각 없이 머리를 비워보는 것도 속을 비워내는 것보다도 개운할 때가 있답니다. 당연히 숙취만큼이나 힘들고 빈 머릿속이 쓰리지만 또 비워내야 채울 수 있는 것 아니겠어요? 인체에서 제일 많이 에너지를 쓰는 기관이 뇌라는 데 한 번쯤은 편하게 쉬게 해줘야죠. 다 비워내는 한이 있다고 하더라도요. 가끔은 알코올로 마비시키지만 말고 한 번쯤 안 해봤던 것들 편안한 시간 가지면서 비워내고 다시 채울 준비를 해보자고요.

단호박 포타주

준비물
단호박 1개, 우유 300ml, 꿀, 취향의 럼

만드는 법
1) 단호박 1개를 잘 쪄서 준비 해둡니다.
2) 믹서에 단호박과 우유를 같이 갈아낸 후 취향껏 얼음을 넣어 차갑게 혹은 데워 내서 따듯하게 마십니다.
3) 알콜과 함께 하고 싶으시다면 럼을 50ml 추가해주면 달달한 칵테일처럼 즐길 수 있답니다.

위로는 됐고 위스키나 한잔 줘

머릿속은 어떻게 비우죠?

머리를 비운다는 요상한 연습을 한 적이 있습니다.
잡생각이 너무 많다고 생각해서 시작한 건데,
너무 효과적이어서 문제였지요.

산은 산이요 물은물이로다

나는아무 생각이 없다

그러나 생각없이 덕질을 하다 보면 어느새
그려보고 싶은 장면들이 머릿속에
가득 차기 마련입니다.

이건?

애도

그려볼까?

이런

이것도

위로는 됐고 위스키나 한잔 줘

이것들은 제때 비워지지 못한 채 숙제처럼 남아 절 괴롭히곤 해요.

그려야되는데

↑
나중에 그리려고
적어둔것들

냅두면 알아서 증식까지 하는 매직☆

포스트잇이 줄어들지 않아~

으와아

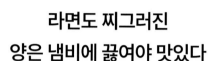

라면도 찌그러진
양은 냄비에 끓여야 맛있다

글을 쓰거나 주변을 보면 완전한 것에 집착하거나 찌그러지거나 조금 빈 것이 있는 걸 못 참는 경우가 많답니다. 당장 백화점 청과 코너만 보더라도 마치 모형처럼 예쁜 과일들만 잔뜩 전시되어 있잖아요? 하지만 과일을 먹어보거나 길러본 분들은 알죠. 흔히 얘기하는 못난이들이야말로 진짜 맛있단 걸. 온전하고 완전한 것 당연히 보기에도 예쁘고 완벽해 보이지만 꼭 그렇기만 할까요? 애초에 사람 중에도 완벽하기만 한 인간이 어딨다고. 어느 정도는 흠도 있고 덜렁거리기도 해야 흔히 얘기하는 인간미가 넘치는 매력적인 사람이 되는 거 아니겠어요? 이런 말로 제 모자란 부분들을 매력으로 커버해 보곤 한답니다.

　　　　　　　　　　　위로는 됐고 위스키나 한잔 줘

조금 결이 다른 얘기긴 하지만 저는 밴드음악을 좋아하는 이유가 이런 찌그러짐 때문이라는 생각을 자주 한답니다. 기타, 베이스, 드럼, 키보드, 보컬 각자 따로 있을 때는 조금 뭔가 부족하다 싶다가도. 이 찌그러진 하나하나의 조각들이 모이는 순간 엄청난 매력을 뿜어내거든요. 덜그럭거리고 조금은 시끄러워 보여도 묘하게 합이 맞고 시원시원해지는 그런 모습들이요. 결국 찌그러졌기에 모일 수 있었고 찌그러졌기에 완벽한 놈들이 모인 것보다도 큰 모습을 만들어 낼 수 있었던 것 같거든요.

그런 찌그러진 것들이 보다 보면 묘하게 정이 가고 친근하단 말이죠. 마치 우리 같아서. 좀 찌그러지면 어때요. 좀 흠이 있으면 어때요. 큰 금만 아니라면 굳이 고치려 하지 말고 우리만의 무늬로 바꿔보자고요. 또 모르죠. 언젠가는 누군가가 그런 모습을 힙하다고 매력 있다고 표현할지. 기왕이면 매끈한 공산품보다는 삐뚤삐뚤한 수제품이 되어 매력 있는 사람이 되고 싶답니다.

잔뜩 찢고 찌그려트려 보자!
바질 스매쉬

준비물

진 60ml, 바질 잎 12장정도, 레몬즙 20ml, 심플시럽 10ml

만드는 법

1) 쉐이커에 바질 잎을 다 넣어준 뒤 잘 빻아준다. (바질 잎을 쉐이커에 넣기 전에 수분을 잘 제거해주고 손뼉 치듯 손 안에서 한번 쳐주면 향이 더 강해집니다.)
2) 나머지 재료들을 다 넣어주고 얼음과 함께 강하게 쉐이킹 해준다.

기본 심플 시럽 대신 다른 과일 계열 시럽을 넣어주면 더 향긋하게 즐기실 수 있답니다. 저는 장미시럽을 넣은 것이 진과 잘 어울리더라구요.

이번에는 잔뜩 뭉개고 찌그러뜨려보자!

1. 두부를 보다 갑자기 주먹으로 때려보고 싶은
충동이 일었습니다.

2. 완전범죄를 위해 냉장고에 남은 야채도
무자비하게 다져줍시다.

두부 뭉개면 물나오니까
꼭 짜주세요

위로는 됐고 위스키나 한잔 줘

3. 잘 뭉치라고 계란과 부침가루를 투하하고
소금후추로 간을 해 줍니다.

다 때려넣고 섞기~

4. 대충 빚고 기름 둘러 부쳐내면 완성.
계량이요? 그딴 건 만들면서 맞춰가는 거죠.

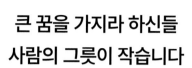

큰 꿈을 가지라 하신들
사람의 그릇이 작습니다

'Boys, be ambitious!' 참 멋진 말이긴 하지만 현실에서 그게 쉽나요. 하루하루 먹고 살기도 힘든데... 배고플 때 꾸는 꿈이 진짜다. 배부른 돼지보다 배고픈 소크라테스가 되라. 멋지게 포장들은 하지만 말은 쉽지. 뭐 아는 게 있고 입에 기름칠은 해야 꿈 얘기나 생각은 해보지 않겠습니까? 차라리 창모의 〈빌었어〉의 가사가 더 와닿는구먼. '나 평생 꿈만을 꿨죠. 꿈은 안 들잖아 돈.' 팍팍하고 삐뚤어진 생각일 수도 있겠지만 사실인 걸 동화도 아니고 꿈만 먹고 사람은 살 수 없으니. 그렇게 적당히 공부하고 그렇게 적당히 대학에 와서 막상 사회라는 것에 내던져지니 정말 뭘 해야 할지…나름대로 하고 싶던 것 이루고 싶던 것 많았지만 정작 지금은 저녁 메뉴에 어울리는 술을 고르는 것조차 고민되는 내가 꿈은 무슨 꿈을 꾼다고. 그래도 나름대로 또 글을 쓰고 바텐더를 하다 보니. 조금은 먹고살 만해졌는지 그러던 제가 꿈이란 걸 꾸네요. 책 출간하고 그 인세로 잭다니엘 한 병 사 마셔보기. 나이 들면 돈 모아서 나만의 바 차려보기. 뭐 문화 대통령이 되겠다. 유명 작가가 되어 북토크를 열겠다. 같은 꿈들보다는 아주 스케일이 작아 보이긴 하지만 그래도 꿈은 꿈이잖아요? 꿈은 돈 안 들잖아. 그러면 자기 전에 한 번쯤 믿는 신은 없어도 빌어볼 수 있는 거잖아. 이 반지하를 떠나서 벌어 먹고살 수 있게 해주세요. 꿈보다는 행운이나 노력을 더 믿게 되는 현실이지만 그래도 꿈은 꾸니깐 꿈인 거잖아요? 노오력하다가 로또가 당첨 안 되더라도 다음 주의 소소한 꿈을 꾸면서 또 한 주 버텨갈 수도 있는 거지. 뭐 사람이 그렇게 거창하게만 살아가려고 말이야. 적당히 적당히 꿈꿔보자고요. 다들. 다들. 그러다가 또 먹고살 만하면 새로운 조그마한 꿈들 생겨서 버티겠지. 그거면 된 거야 그거면. 큰 꿈 좋고 목표를 향한 삶 다 좋지만 뭐 적당히 작은 꿈에 이뤄지길 바라면서 사는 것도 나쁘진 않죠? 소소한 꿈 얘기 한번 해보면서 한잔 비워보자고요. 오늘도.

Tmi. 아직은 못 이룬 꿈이긴 하지만 지금, 이 글을 읽고 계신 여러분들 덕에 잭 다니엘 한병의 꿈에 좀 더 가까워졌답니다.

배부른 소크라테스

준비물

미드(벌꿀주), 탄산수, 레몬, 꿀

만드는 법

1) 미드 45ml에 꿀 15ml를 넣고 잘 섞어 줍니다.
2) 레몬을 반 개 짜서 추가해주고 탄산수로 가득 채워줍니다.
3) 나머지 레몬으로 가니쉬 해주면 완료

벌꿀주는 고대 그리스부터 먹어온 가장 오래된 술 중 하나라고 합니다. 그런 벌꿀주를 이용해 만들어본 칵테일입니다.

꿈이 크면 못 이루잖아요

집에서 뭔가를 찾아다니다가 오래된 다이어리를
발견해서 펼쳐봤습니다.
수업 도중 자기의 꿈을 적는 시간이 있었는데
그 때 적은 쪽지가 들어있었어요.

먼옛날의 일기들과
흑역사의기운 ~~~

공략하자! ♡

전○26 발령

적혀있는 인생 목표가 온통 허무맹랑한 것들이라
절로 웃음이 나오더라구요.
한편으로는 어린 날의 낭만인가
싶기도 했고요.

꺆꺆꺆

위로는 됐고 위스키나 한잔 줘

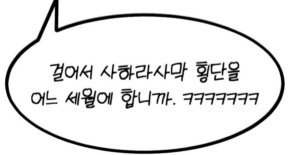

For all nerds

Now play : 조광일 – 선상

"나 어릴때는 꿈만 쫓던 너드남에 바보!" 내가 너무도 좋아하는 조광일 래퍼님의 변태라는 곡의 한 구절. 난 이제는 어리지도 않은데 왜 아직 꿈만 쫓는 너드남에 바보인건지. 그래서인지 조광일 래퍼님의 앨범 변태에서 참 많은 공감과 위로를 받았다.

"수고했어 내려와 오늘은 실패를 봤고 그 감정을 외워나", " 걱정마 우리는 널 믿어, 한방만 먹이면 돼 넌". 그래 한방만 딱 한방만. 비록 오늘은 그리고 내일은 그리고 또 한방을 먹일 그 언제까지는 실패를 보겠지만 난 그 감정들을 다 외워둘 것이다.

바텐더로는 성공하진 못할 거라 했던 사람들, 너가 무슨 책을 쓰냐 했던 사람들. 다 외워두고 난 한방을 준비할 것이다. 아직 성공하진 못했지만 책을 두권이나 써내려 간 나. 바텐더가 되어 월드 칵테일 배틀 2024 본선에 올라 칵테일을 만들어낸 나. 노래 가사처럼 항상 이불을 뒤집어써 울면서 단지 응원이 필요했던 나를 너무나 잘 기억한다.

그리고 그 상황에서 날 응원해주던 주변의 모두들까지 다 기억할 것이다. 그래서 나는 더 모든 너드들 우리 괴짜들을 응원해주고 싶다. 그들이 그 순수한 열정을 잊지 않는다면 언젠가는 정말 멋진 한방을 세상에 보여줄 테니. 내가 그랬듯이 그리고 세상의 다른 모든 너드들이 그랬듯이. 이 도전에 엄청난 용기가 필요한 걸 알기에, 도전에 수많은 실패가 있었을 것을 알기에, 그리고 그 도전 동안 그들이 감수해야할 비난과 비웃음을 알기에. 그들의 이카루스와 같은 숭고한 도전을 나는 잊지 않을 것이고 그런 너드들과 함께 나의 길을 걸어간다는 것에 자신을 가지고 오늘도 이 칵테일 한잔을 모든 너드들을 위해 바친다.

선상 위의 괴짜들
(nerds on board)

준비물

너디 바질 막걸리, 예거마이스터, 몬스터 오지 레모네이드

만드는 법

잔에 너디 바질 막걸리 2oz, 예거마이스터 1oz, 오지 레모네이드로 필업

오늘도 모든 괴짜들의 노력을 응원하며 그들에게 건네는 건배의 한 잔

위로는 됐고 위스키나 한잔 줘

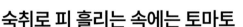

숙취로 피 흘리는 속에는 토마토

음주가무 중 유일하게 무를 제외하고는 다 즐기는 저이지만 그 중에서도 주(酒)를 가장 사랑하는 것은 책의 제목만 봐도 알 수 있죠. 고전문학을 전공하는 중에도 국순전을 제일 좋아하는 저이지만 아쉽게도 국순과 어울려 놀다 보면 제일 힘든 것이 바로 다음날의 아침이랍니다. 20대 초의 젊은 혈기라면 밤을 세워 부어라 마셔라 하더라도 다음날 아침엔 멀쩡히 해장을 하고는 일이든 수업이든 나갈 수 있었지만 지금 저의 몸으로는 간신히 늦은 아침쯤 일어나 순댓국 한 그릇을 먹으며 휘청거리며 걷는 것이 한계인 체력이랍니다. 이러다 보니 숙취와는 절대 친해지려야 친해질 수가 없는 관계이죠.

수많은 강태공들과 주당들이 이 문제를 해결하고자 다양한 민간요법과 현대에 들어서는 다양한 약품까지도 개발을 해내었지만 아쉽게도 아직은 이 지끈거리는 두통과 울렁이는 속을 바로 달랠 완벽한 방법은 없는 것 같습니다.

그나마 술꾼으로 살아온 세월이 저에게 알려준 방법은 링거액과 성분이 거의 유사하다는 모 음료 한 병과 해장국 한 그릇, 그리고 토마토 몇 개(안되면 주스라도)랍니다. 조금이라도 속이 불편하다 싶으면 바로 써먹는 이 해결법에 특별한 공부가 있었다기보다는 농가의 자식으로 태어나 항상 냉장고에 채워진 1등품 토마토와 술 마신 다음 날 숙취해소 음료를 사기엔 너무나도 빈약한 대학생의 지갑(은근히 비싸단 말이죠…)이 빚어낸 기적 같은 레시피랍니다.

과학적으로 분석한다면 숙취 해소에 도움이 되는 각종 성분과 원리가 나오겠지만 그런 것들과는 상관없이 유독 속이 편한 느낌이 드니 늘 신세를 질 수밖에요. 이걸 보고 주변 술꾼들은 차라리 블러디 메리라는 이름도 멋진 해장주를 한잔 마시는 건 어떠냐고 물어보곤 하지만…. 술은 취하려고 마시는 거지 술 깨려고 마시는 건 아니잖아요? 술에는 술의 시간이 있는 법. 그러니 그냥 토마토 주스로 참아내는 나날이랍니다. 또 모르죠, 언젠가는 퀭한 상태로 바에 찾아가서 블러디 메리를 특별히 타바스코와 셀러리까지 추가해서 주문하는 날이 올지도요. 그전까

위로는 됐고 위스키나 한잔 줘

지는 이온 음료와 본가의 사랑이 넘치는 토마토로 또 하루를
견뎌내야겠죠.

블러디 메리

준비물

보드카, 토마토 주스, 샐러리, 타바스코

만드는 법

1) 얼음을 채운 잔에 보드카 45ml를 넣고 토마토 주스로 가득
   채웁니다.
2) 취향에 따라 샐러리, 타바스코, 우스터 소스, 후추 등을 더해
   주세요.

해장라면

준비물

라면, 콩나물, 다진 마늘, 후추

만드는 법

1) 팬에 기름을 두른 뒤 다진 마늘과 라면 스프를 살짝 볶아 기
   름을 내어 줍니다.
2) 물 600ml 넣고 물이 끓으면 면을 넣어줍니다.
3) 면이 어느정도 풀리기 시작하면 콩나물을 넣고 마저 끓여줍
   니다.

숙취에 도움되는 것

침대에 한쪽 다리만 내려놓고 잠들기

이온음료

다같이 먹는
영양진창
해장라면

최악의 해장음식

피자 위에 크림파스타가 올라간
극단적 탄수화물식단이었지.....
토마토소스도 없고...느끼하고..

다 못 먹고 도망쳤어.....

귀는 이제 식상하니
난 뭘 잘라서 유명해지지

압생트, 녹색 요정의 장난, 고흐의 귀를 가져간 술 등등으로 유명하지만 술꾼들에게는 그저 향이 특이한 독주일 뿐이죠. 마시는 방법조차 속된 말로 간지나게 전용 스푼 위에 각설탕을 얹고 압생트를 조금 부은 후 불을 붙여 알코올을 좀 증발시킨 후 녹은 설탕과 물을 조금 더 추가해서 뿌옇게 파스텔 톤으로 변해가는 압생트를 구경하다가 한 모금. 독주는 여러모로 편하고 핑계대기에 좋죠. 취하건 무슨 실수를 하건 다 압생트의 탓으로 돌리면 되니까요.

살면서도 이런저런 핑계를 잔뜩 대면서 회피할 수 있다면 조금이라도 편해지려나요? 난 아프니까, 난 힘드니까, 이런 핑계로 저를 가둬 놓고 살던 저에게는 어찌 보면 가장 잘 어울리는 술일 수도 있겠네요.

참 편한 핑계죠. 난 몸이 아프니까. 잠도 제대로 못 자고 우울하니까. 이런 핑계로 많이도 지인들을 상처 입히고 스스로에게도 자해를 합리화해 왔답니다. 아프니까 괜찮아. 내가 아프고 싶어서 아팠냐? 사람이 좀 쉴 수도 있는 거지. 최선을 다했잖아? 최선은 개뿔. 결국 남은 것은 스스로 잔뜩 망가뜨린 저뿐이었답니다. 모든 잘못이 제게 있다는 걸 알지만 괜히 힘드니 압생트 탓을 해볼 수밖에요. 나도 차라리 천재였다면 이런 고민이나 걱정 없이 내가 하고 싶은 걸 마음대로 하면서 살 능력과 결심이 생겼을 텐데.

작가라는 말을 자칭하기에도 모자란 글이 부끄러워 늘 글쓴이라는 말을 쓰며 아마추어 작가라는 핑계로 글에서 눈을 돌리는 나. 바텐더를 본업으로 삼지 못해 팔지도 못한 시그니쳐 칵테일들을 개발해 가며 언젠가 돈을 벌고 자립한다면 바를 차릴 거니 미래를 대비하기 위한 연습이라고 치부하는 나. 그러면서도 어중간한 요리 재능과 어중간한 글재주, 어중간한 바텐더의 재능을 지녀 어디로도 선택하지 못하고 헤매는 제가 있을 뿐이죠.

어설픈 재능은 오히려 족쇄가 되어 앞길을 불안하게 만들기 십상이랍니다. 물론 몇몇은 또 그러겠죠. 그런 사소한 재능조차 못 타고나서 힘들어하는 사람들이 얼마나 많은데 배부른 소리 하고 있네. 말 그대로 어린 생각에 하는 배부른 소리일 수도 있죠. 글을 쓰고 싶어도 새로운 칵테일을 만들어 보고 싶어도 그럴 환경이 안 되거나 재능이 없을지도요. 아니면 저처럼 그냥 핑계를 대고 노력하기도 싫을지도요. 무라카미 하루키조차도 하루에 2시간 이상씩은 꼬박꼬박 글을 쓴다는데 감히 제가 뭐라고 글의 시간을 투자하지 않으면서도 재능이 없다는 핑계만 대고 도망치는지…. 노력이 부족해서 그래 노오력이 참…

이런저런 잡다한 생각으로 글이 길어지지만, 결론은 전 아직 핑계를 완벽하게 벗어나진 못했답니다. 이래저래 열심히 해나가 보려 하지만 아직도 마음속 약한 제가 어느 순간 뛰어나와선 이 정도면 괜찮잖아. 너 치고는 충분히 노력했네. 귀에 속삭이 곤 하지요. 그래도 이렇게 그 말을 무시해 가며 글을 쓰다 보면 핑계가 필요 없이 압생트를 멋있게 한 잔 마실 수 있는 날도 오는 거겠죠. 그날이 오기 전까지는 오늘도 한 잔.

압생트 보헤미안 스타일

준비물

압생트, 압생트 스푼, 각설탕, 물

만드는 법

1) 잔 위에 압생트 스푼을 놓고 각설탕을 얹은 뒤 압생트를 그 위에 부어줍니다.
2) 압생트가 스며든 각설탕에 불을 붙인 뒤 어느정도 설탕이 녹으면 잔의 압생트와 함께 섞어줍니다.
3) 취향에 맞게 물을 추가하며 변하는 색을 즐기며 마셔줍니다.

간단 전자레인지 치즈칩

준비물

전자레인지, 체다치즈

만드는 법

1) 전자레인지 가능 접시 위에 종이 호일을 깝니다.
2) 체다치즈를 적당히 뜯어 간격을 벌려 접시 위에 깔아줍니다.
3) 전자레인지에 30초씩 두 번 나눠서 돌려준 뒤 식혀서 바삭하게 먹습니다.

위로는 됐고 위스키나 한잔 줘

넓고 얕은 나의 문어발 취미들

이것저것 건드리기만 하고 진득하게 파는 일은 없는 제 취미들이 불만이었던 적도 있습니다.

남들도 이정도는 다 할 줄 아는 것만 같아서 제가 갖고 있는 게 별로 대단하지도 않은 것 같은 생각만 들었거든요.

주변 사람들이 죄다 비슷한 거 하는 사람들이다 보니 그만 착각한거죠.

위로는 됐고 위스키나 한잔 줘

그런데 옛날 생각들을 좀 하다 보니 저...
생각보다 잘 하고 있던 건 아닐까 싶더랍니다.
(무슨 심경의 변화가 있었던 건지 ㅋㅋ)

어쨌든 다 즐거운 추억이었고 경험이고 낭만인 거
아니겠어요?
뭐 적어도 그 순간은 재밌게 즐겼으니까..
미련은 갖지 말아야겠습니다.

커피를 맛으로 먹냐⋯
하지만 전 쓰리샷이요

현대인의 삼대 영양소는 이젠 카페인 니코틴 알코올이라는 농담 아닌 농담. 참으로 공감되는 얘기인 것이 특히 카페인과 알코올을 떼어놓고는 살 수 없는 몸이 되어버린지라 더 와닿는답니다. 이제는 글을 쓰든 무슨 작업을 하든 카페인부터 충전하게 되고 카페에서 달달한 스무디와 에이드만 찾던 저는 온데간데없고 오로지 아메리카노만 주문하고 있는 저만 남았답니다.

특히 대학가의 카페들은 2000원 이내의 합리적인 가격에 쓰리샷이라는 파격적인 카페인 충전 물약을 판매하기에 적어도 혈중 카페인 농도가 떨어질 걱정은 없이 사는 나날들이랍니다. 아직도 커피를 좋아하는 주변 지인들의 원두별 특징이나 커피의 산미, 바디감 같은 얘기는 그저 멍하게 들을 뿐이지만 적어도 오늘 하루를 버티려면 이 바다 건너온 콩 태운 검은 물을 한 잔 들이켜야 하는 걸요.

그나마 대량의 위스키로 인해 쓴맛에 익숙해져 커피의 향이란 걸 느낄 수 있게 된 요즘은 자취방에까지 에스프레소 머신을 가져다 두고 하루 한 잔 아니 최소 3잔의 여유 정도는 즐길 수 있게 되었답니다. 맛은 아직도 잘 모르겠지만 적어도 온 집안에 풍기는 커피의 향 정도는 즐길 수 있게 되었으니. 가성비만 따지면서 에너지 드링크를 쌓아두던 과거에 비하면 큰 발전이 아닌가 싶네요. 카페인에 알코올에 참 중독된 것도 많다 싶지만, 이러나저러나 또 하루를 버틸 수 있는 활력소가 되어줄 수만 있다면, 이 쓰디쓴 검은 약물을 또 한잔 처방받고 들이켜야죠.

이렇게까지 해야 하나라는 생각이 종종 들긴 합니다만. 갈수록 늘어나는 카페의 수를 보면 다들 똑같이 살아가고 있는 거겠죠. 이제는 물보다도 더 익숙하게들 마시고 있으니깐요. 언젠가는 약물이 아닌 진정한 음료로써 커피의 매력에 빠져 원두도 블렌딩해가며 다양하게 즐겨보고 싶다마는 우선은 출근 시간인걸요. 얼른 한잔 처방해 줘 봐요. 찐한 놈으로다가. 다들 저와 비슷하게 또 하루를 살아갈 힘을 이 처방전 한 잔에 담아간다고 생각하며 오늘도 아아를 테이크아웃으로 한잔.

화이트 러시안

준비물

보드카 45ml, 커피 리큐르 15ml, 우유 30ml

만드는 법

1) 잔에 얼음과 보드카, 커피 리큐르를 순서대로 부어줍니다.
2) 그 위로 우유를 조심스레 부어서 층이 지게 해줍니다.

우유보다는 생크림이 더 맛있고 살짝 변형으로 위에 초코시럽이나 마시멜로를 가니쉬 해도 맛있답니다.

위로는 됐고 위스키나 한잔 줘

커피? 술? 젤리!

깔루아를 사다두고 오랫동안 다 못 먹어서
소위 말하는 짬처리를 하게 된 적이 있습니다.

(700ml 너무많았음...)
(제가 술쟁이긴 하지만 알콜중독은 아닌지라...
술이 줄지를 않더라고요)

무슨 실험을 하고 싶었던 건지는 모르겠습니다만
일단 깔루아 2~300ml, 에스프레소 한 샷, 그리고
약간의 물을 추가해 용액 400ml를 만든 다음
한천가루 8g을 넣고 잘 섞어줬어요.

위로는 됐고 위스키나 한잔 줘

중약불에서 기포가 슬쩍 올라올때까지 끓이다가
냅다 통에 붓고 실온에서 어느 정도 식힌 뒤
냉장고로 이동시켰습니다.

(귀찮은 관계로 대충 유리 밀폐용기 사용)

젤리가 굳으면 대강 썰어다가 우유를 부어
그럴싸한 커피푸딩처럼 즐길 수 있습니다.
그런데 이제 약간 알콜의 도수가 느껴지는~

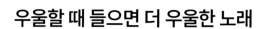

우울할 때 들으면 더 우울한 노래

인디, 락, 힙합, 재즈, 클래식까지. 제대로 깊게 아는 건 없지만 음악이라면 장르를 가리지 않고 넓게 듣는 저이지만 특히나 좋아하는 노래의 장르를 뽑아보자면 절 정신없게 만드는 노래 또는 아주 우울하게 기분을 다운시켜줄 수 있는 노래랍니다.

머릿속 생각이 많다 못해 넘쳐흐르는 망상가의 기질 때문인지는 모르겠지만, 늘 잡다한 생각으로 머리가 복잡하고 어지러운 저에게는 차라리 노래라도 절 정신없게 만들어서 잡생각이 없어지게 만들어 줘야 하거든요. 아니면 제 들뜬 기분을 완전히 차분하게 가라앉혀서 좀 생각이란 걸 하게 만들어주던가요. 특히 허스키한 여성 보컬의 목소리라면 더 안성맞춤이죠. 머릿속이 복잡할 때 듣는 노래의 플레이리스트에 수록된 곡의 수는 이미 세 자릿수를 넘긴 지 오래랍니다.

위로는 됐고 위스키나 한잔 줘

그때그때 바뀌는 변덕스러운 기분에 따라 이번엔 이 노래 다음에는 저 노래. 예전에 많이 듣던 노래인데? 반가워서 또 한 번. 이렇게 정신없이 듣다 보면 복잡하던 머릿속도 정리되고 다시금 저 자신을 돌아볼 수 있게 된답니다. 내가 이래서 기분이 나빴구나, 내가 이래서 기분이 들떠있었구나, 내가 이래서 기분이 오락가락했구나.

아직은 잘 먹히는 방법입니다만 가끔 이 방법마저 안 통하는 날에는 어쩔 수 없죠. 음악뿐만 아니라 알코올의 힘도 한 방울 빌려 써야죠. 노래에 맞춰 어울리는 술을 한잔. 또 다음 잔을 고민하며 어울릴 것 같은 노래를 한 곡. 이리저리 떠돌다 보면 머릿속이 정리되겠죠. 그러니 일단은 한 곡 그리고 한잔.

너디 블루

준비물
멜론 리큐르 30ml, 레몬즙 20ml, 블루큐라소 30ml

만드는 법
위의 재료를 다 쉐이커에 넣고 잘 쉐이크 해준 뒤 온더락 잔에 따라냅니다.

재패니스 슬리퍼라는 칵테일을 약간의 변형을 줘서 만들어낸 칵테일 이름과는 다르게 달달 상큼하답니다.

볼프람의 노래 취향

많은 사람들이 그랬듯이 저도 지나가다 슬쩍 들은
SUM 41 노래로 밴드사운드에 입문을 했고...
대한민국 고3의 분노를 삭이기 위해서였는지
멜로딕 데스 메탈을 위시한 빡세고 파괴적이고
아무튼 소리지르는 곡들을 주로 듣고는 했습니다.

중학생땐 얌전한 뉴에이지
피아노곡들을 주로 들었는데
그놈의 수능 스트레스가…

(Disarmonia Mundi)
(Arch Enemy)
(As I Lay Dying)
(Disturbed)

밴드동아리를 거치며 많은 곡을 접한 덕에 지금은
플레이리스트가 조금 순한 맛이 되었습니다만..
빡같았던 시기를 함께한 곡들은 잊을만하면 다시
생각이 나더라구요. 그래서 냅다 주워담다 보니
대충 이것저것 락앤롤 잡탕리스트가 됐다는 얘기.

아무튼 밴드가 ☆ 너무좋아 아줌당히

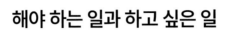

해야 하는 일과 하고 싶은 일

"하고 싶은 일 모두 할 수 있음 좋겠네~" 도라에몽의 주제가처럼 하고 싶은 일만 할 수 있다면 얼마나 좋을까요. 하지만 아쉽게도 성인이 된다는 것은 하고 싶은 일을 할 수 있는 만큼 해야만 하는 일도 늘어가는 것이라고 전 생각한답니다. 그 두 가지가 늘 같다면 얼마나 좋으려나요. 해야만 하는 일이 제일 하고 싶은 일이라면. 누군가 갑자기 와서 총을 들이밀고는 매일매일 통장에 삼백만 원씩 넣어주며 무조건 날마다 이 돈을 다 쓴다면 계속해서 넣어주지! 이렇게 협박만 해준다면! 얼마나 고마운 일일지.

우선 저라면 날마다 다른 좋은 위스키를 한두 병씩 사다 모을 것 같네요. 사 모으다 지치면 기타와 이펙터를 사기 시작하겠죠? 그 다음에는 갖고 싶던 좋아하는 작가님들의 전집을 싹 다 구매하고. 가보고 싶던 바 투어를 전국적으로 아니 전 세계적으로 다녀보는 거야! 너무 속물적인가요? 날마다 금액 전체를 불우이웃에게 기부한다는 아주 정답 같은 답변할 수도 있을 텐데요.

아니면 뭐 삼백만원어치 무료 급식을 노숙자들에게 제공하는데 쓴다거나, 책이나 전자제품을 사서 기부한다던가. 좋은 일에 쓰기엔 좀 적은 돈인가 싶다가도 충분히 도움이 될 만한 액수일 텐데. 아직은 속물근성을 놓지 못한 저인가 봅니다. 당장 누군가가 저에게 백만 원만 준다면 근처 바로 달려가서 주문하겠죠. 여기 글렌피딕 한 병이요!

애석하게도 이런 꿈같은 협박은 일어날 기미조차 보이지 않을뿐더러 해야만 하는 일만 잔뜩이랍니다. 얼른 졸업해야지, 졸업하면 취직해야지, 취직하면…결혼은 생각에도 없으니 그때 또 뭔가 해야만 하는 일이 게임 속 퀘스트 들처럼 자동으로 등록되겠죠. [미션 30. 전세금 1억 4천을 모아서 내 집 마련하기! 보상. 대출 낀 전세, 사회적 명성, 다음 퀘스트인 대출 갚기 오픈!] 이런 식으로 말이에요. 그래도 그나마 하고 싶은 일만 억지로 해내는 성격 덕분인지 해야 할 일보다는 하고 싶은 일만 잔뜩 늘려대고 있답니다. 그러다 보니 해야 할 일들에 대한 책임 또한 늘어만 가고 있지만요. 슬슬 졸업하고 취직 준비해야지. 하지만 아직 대학생으로 하고 싶은 일이 너무나 많은걸요?

해외여행, 좋아하는 가수의 콘서트, 먹어보고 싶은 위스키들, 미친 듯이 놀아보기. 등등 하지만 해야 할 일은 해야 하는 거겠죠…

그런 고민이 가득한 당신에게 추천합니다. 슈퍼키드의 〈So what?〉

추천을 하고 나서도 이거 괜찮나 싶을 정도의 노래이지만 그만큼 강렬하고 제 생각의 기틀을 바꿔준 노래랍니다. 해야 할 일에 지쳐 살던 저에게 '어쩌라고?'라고 얘기해 준 노래. 해야 할 일을 안 하겠다는 건 아니긴 한데… 어쩌라고요! 제 속도에 맞춰서 최대한 해볼 만큼은 해볼게요. 하고 싶던 일들 조금만 더 해두고.

제 하찮은 능력으로는 과한 욕심일 수도 있겠지만 어쩌라고요! 난 지금 쓰고 있는 이 책처럼 내 맘대로 쓰고 내 맘대로 해나갈 텐데. 어차피 할 일이라면 하긴 할 거지만 제 방식대로 조금 마음대로 해도 되는 거 아니겠어요? 책임은…미래의 유능한 제가 알아서 고생 좀 해주겠죠. 적어도 '오늘은 내 맘대로 한 잔할게요?'라는 생각.

물론 어쩔 수 없이 내 맘대로 안 되는 일들은 넘쳐나고 해야 할 일들도 넘쳐나고 당장 이 원고의 마무리도 해야겠지만. 누군가는 이런 제멋대로의 모습이 아니꼽고 보기 싫어 죽겠지만. So What? 어쩌겠어요. 제가 그리 살고 있는 제 인생인 것을요. 아직까진 전 제멋대로 한 번 해보렵니다. 그러니 일단 이 원고를 끝내두고 한잔하려고요. 여러분도 한번 속으로 되뇌어 보세요. 누가 뭐라고 한들 어쩌라고? 난 나인데

어쩌라고

준비물

소주, 맥주, 에너지 드링크

뭐 있나요 그냥 맘에 드는 대로 1대1대 1로 섞어주고 원샷하시면 됩니다! 어쩌라구요!

어쩌라고로 달린 다음날,
속을 풀어주는 계란죽

준비물
즉석밥 1, 계란 2개, 치킨스톡, 참기름

만드는 법
1) 냄비에 물 500ml와 치킨스톡 1스푼을 넣고 끓여줍니다.
2) 물이 끓으면 즉석밥을 넣고 밥이 풀릴 때까지 잘 저어주면서 끓입니다.
3) 계란 2개를 넣고 풀어서 뭉근해질때 까지 끓여줍니다.
4) 그릇에 담고 참기름을 적당량 둘러주면 완성

난 술을 왜 마실까?

인간은 술을 왜 마시는 걸까요? 기록도 되기 전인 기원전부터 인류는 자연 발효된 과일이나 꿀에서 발생한 알코올을 섭취했을 것으로 추정되죠.

어떤 문명이든 알코올에 관한 기록이 없는 문명은 존재하지 않으며 우리에게 익숙한 맥주, 위스키 등등 각종 술들은 역사에서 빠질 수 없는 얘깃거리들을 더해준답니다. 소설, 영화, 신화까지. 이 디오니소스의 장난인 알코올 들은 인류를 농락하기도, 또는 영감의 원천이 되기도 하면서 인류와 동고동락해 왔죠.

이런 딱딱한 인문학 강의는 집어치우고 우리는 왜 이 쓰고 독한 음료를 마셔대는 걸까요? 건강에 해롭다는 것은 마시는 모두가 잘 알고 있는 자명한 사실인데 말이죠. 마시면 기분이 좋

위로는 됐고 위스키나 한잔 줘

아진다. 적당히 마시면 건강에 좋다. 술자리의 분위기나 그 자리가 좋은 거지. 술이 눈앞에 있으니 그냥 마시는 거지. 등등 술꾼들에게 물어보면 각양각색의 이야기가 나오고 다들 꽤 신빙성이 있어 보이는 얘기들이랍니다. (물론 이 얘기를 들을 때의 전 취해있었기에 더 그렇게 들렸을지도요)

그렇다면 이 글을 쓰고 있는 술을 너무나도 사랑하다 못해 책으로까지 술에 대한 사랑을 표현하고 있는 저는 대체 술을 왜 마시는 걸까요? 자·타칭 애주가로서 이전까지는 술이 거기 있어서라는 어느 등산가와도 같은 말을 해왔지만 다시금 생각해보니 제게 술은 곧 이야기이기 때문입니다.

모든 술자리엔 이야기가 있고 심지어 혼자 마시는 술이라도 술 자체에 이야기가 숨겨져 있죠. 지금 혼자 앉아 홀짝이는 이 위스키 한잔만 하더라도 맥아를 기르기 위해 땀흘린 농부들, 몽키숄더를 가진 맥아 운반꾼들, 증류소의 한 방울 한 방울의 기다림, 오래된 오크통이 전해주는 숙성의 이야기, 천사들이 한 모금씩 마시고 갔다는 엔젤스 쉐어까지. 각각의 술마다 너무나도 방대한 서사와 이야기를 가지고 제 앞에 놓인답니다. 그러고는 마시려고 잔뜩 기대하고 있는 제게 속삭이죠 오늘의 이야기는 어때?

술뿐만 아니라 같이 마시는 사람들의 이야기는 또 어떻고요. 그냥 소주 한잔이더라도 누군가에게는 퇴근 후의 보상, 누군가에게는 이별의 슬픔과 눈물 한 방울, 누군가에게는 주변과 나눌 기쁨의 한잔, 이때까지 잘 해온 당신을 위한 위로의 한잔, 그 수많은 이야기들이 잔을 한잔 한잔 채워가며 오늘도 술꾼들은 신나게 잔에 담긴 이야기를 들이키겠죠.

바텐더라는 길을 선택했던 이유도 저에겐 이야기이기 때문이랍니다. 술이 전해줄 이야기와 이걸 만드는 사람의 이야기, 그리고 이 한잔을 마실 사람들의 이야기가 잔뜩 기다리고 있다니, 그 어떤 소설보다도 방대한 세계관과 이야기 들이잖아요. 말이나 글로는 표현되지 않을 언어의 한계를 뛰어넘은 그런 표현을 이 한잔을 통해 상대에게 전달할 수 있다면. 그 사람은 최고의 바텐더이자 이야기꾼이겠죠. 위로가 필요한 사람에게는 위로의 한잔을, 기쁨을 나누고 싶은 사람에게는 축하의 한잔을, 그리고 우리 모두 오늘을 마무리하기 위한 이 한 잔을. 잔 하나하나에 이야기를 가득 담아두고는 바텐더는 오늘도 담소를 나눌 등장인물들의 방문을 기다린답니다. 그러다 보니 저는 이리도 술을 좋아하고 또 찾게 되나 봅니다. 비록 독한 알코올 덩어리의 한잔이라도 또 어떤 이야기가 절 기다리고 있을지, 이 한잔을 마시면 또 어떤 새로운 사람이 찾아와 저에게 새로운 이

위로는 됐고 위스키나 한잔 줘

야기를 전해줄 수 있을지. 슬픈 일도 기쁜 일도 힘들었던 일도
짜릿했던 경험도 이 한잔과 함께 나눌 수만 있다면. 아직은 미
숙한 글로 이 느낌을 여러분께 전달할 수 있을진 모르겠지만
대신 어쭙잖은 글 대신에 같이 위스키나 한잔하자고요! 그것만
으로도 우리의 이야기는 시작될 테니. 잔을 채우고 술잔을 들
고 이 이야기를 같이 나눌 그대를 위해 건배!

님은 술을 왜 마시나요?

술은 몸에 해로우니 몽땅 마셔서 없애야죠...가 아니라
뭐 굳이 마시지 않더라도 술자리의 그 분위기라는 게 있기 때문에...
결국은 분위기에 취하게 되는 것도 즐거워서
술자리에 자꾸 껴들고는 합니다.
그렇지만 예전처럼 달리(?)기엔 몸이 힘들기도 하고 그래서...
한 잔을 마시더라도 맛있게 마시자! 가 나름의 모토가 되었습니다.
차오르는 술장을 보면 또 마음이 풍요로워지죠.   (통장:살려줘....)
내 멋대로 레시피 실험하다가 말아먹고 망해도 즐겁기만 하고요.
배우고 파고들수록 시야가 넓어지는 기분도 드니깐?

Q. 그런데 그걸 왜 술마시면서 느끼시나요?

히히야미~

Valkum.

천사님들도
상당히 술꾼이시군요?

엔젤스 쉐어. 오크통에 술을 숙성할 때 발생하는 손실량을 얘기하는 단어로 천사가 한 모금 마시고 갔다는 되게 낭만 있는 단어지만, 그 천사님들이 생각보다 주당이신지 드시는 양이 꽤 무시 못 할 정도랍니다…이런 손실에도 불구하고 왜 우리는 오크통에 술을 숙성시키는 걸까요? 술도 우리에게 익숙한 김치처럼 숙성시켜야지만 나는 맛과 향이 있기 때문이죠. 흔히들 위스키를 표현할 때 얘기하는 오크 향, 우디, 너트, 플로럴 이런 단어들의 향은 대부분 나무통에 숙성되는 동안 정해지고 입혀지기에 처음 발효하고 증류한 주정만큼이나 어디에 넣어서 숙성시킬지도 위스키를 만드는 사람의 입장에서는 큰 고민거리 중하나랍니다. 셰리 와인을 숙성시킨 통이라면 셰리 캐스크, 버번 위스키를 숙성시켰던 통이라면 버번 캐스크 워낙 그 종류만큼이나 특징도 다양하니 고민이 될 수밖에 없죠.

그런 고민에 늘 불변의 진리는 그래도 어울리는 통에 해야 한답니다. 원료인 주정에 자기가 더하고 싶은 향과 맛을 고려해서 어울리는 조합으로 매치시키는 것이 제일 좋은 선택이지 괜히 아까운 주정을 이상한 통에 미스매치 시켰다가는… 천사님들도 한입 맛보고는 버리고 도망갈 위스키가 되고 말 것이기 때문이죠.

사람도 마찬가지죠 뭐. 본성이 주정이라면 내가 만드는 환경이나 주변 사람에 따라 통이 결정되니. 아무래도 내가 들어가 있는 그 통에 따라 내 향기와 맛은 결정될 거니까요. 그래도 위스키와 사람의 차이라면 위스키는 들어갈 통을 고를 수 없지만 우리는 언제든 통을 깨고 나와 고를 수 있다는 점. 비록 내가 가진 장점이나 성격이 향도 약하고 맛도 약해서 볼품없을 수도 있지만, 우리가 노력해서 들어가는 통에 따라 얼마든지 우리는 우리의 맛과 향을 바꿔 갈 수 있으니까요. 그게 주정 즉 사람 혼자만 있었다면 불가능했겠지만, 우리에게는 통이라는 주변이 있으니. 흔히들 '사람은 고쳐 쓰는 거 아니다, 바뀌지 않는다'라고 말하는데. 저 역시 그 말에 공감하고 본성이라는 것은 바뀌

위로는 됐고 위스키나 한잔 줘

지 않는다고 생각합니다. 하지만 그 본성이라는 것을 덮고 조금 더 매력적으로 혹은 조금 더 나은 쪽으로 바꿔 갈 수 있는 것이 숙성의 매력이자 사람의 매력이죠. 지금 내 자취방 술장 위에 익어가는 저 2리터짜리 버번 캐스크에 든 위스키처럼. 나도 맞는 통에 들어가서 잘 숙성되고 있는 건지. 내 향과 맛은 어디까지 익어갈 수 있을지. 그건 통을 열어보기 전까진 모르지만. 적어도 내가 선택한 통이 나와 맞는 내 최선의 통이기를. 그러면 언젠가 통 속에서 천사와 만나 한잔 나눌 기회도 생기겠지. 통 속에서 익어가며 오늘도 한잔.

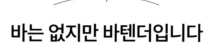

바는 없지만 바텐더입니다

글을 쓰고 있는 시점에서 작가인 저 외 1명은 아쉽게도 3년간 해오던 바텐더라는 직종을 그만두고 바에서는 일을 하고 있지 않답니다. 그럼에도 불구하고 저는 꼭 제 소개에 한마디를 더 붙이죠. 바텐더 겸 작가 외 1명입니다. 어쩌다가 바텐더라는 직업에 이렇게 매혹되어버리고 만 것인지... 바텐더라는 직업의 매력은 이전 장에서 충분히 얘기했으니 이번엔 다른 고민을 얘기해볼까 해요. 차린 바도 없고 바에서 일도 하고 있지 않은 제가 바텐더라 감히 칭해도 되는 걸까요?

참 어려운 고민입니다 은근히. 저는 저 스스로 바텐더라고 당당하게 칭하고 다니고 제 삶의 일부로써 바텐딩을 받아들이고 있지만, 정작 남들이 보면 바에서 일도 안 하는 게 무슨 바텐더야라고 할 수도 있거든요. 그냥 취미로 바텐딩을 즐기고 있다고

위로는 됐고 위스키나 한잔 줘

얘기한다면 해결될 문제 같기도 하지만 뭔가 자존심이 용납해 주질 않는다니까요. 내 바텐딩이 고작 취미? 아냐 난 상업성 예술성을 고루 추구하고 있는 바텐더라고! 언젠가는 다시 바에서 일할 거니깐… 아마도… 이러다 조만간 소개에서 바텐더(진)이라던가 전 바텐더라고 은근슬쩍 표기를 바꿔야 하는 걸지도 모르겠네요. 그래도 아직은 스스로를 바텐더라 칭하고 싶답니다. 저라는 사람을 구성하는 데에 있어서 이제 바텐더라는 요소는 더 이상 빼놓을 수가 없는 부분이거든요. 다른 일을 하고 있더라도 칵테일의 레시피를 떠올리고 보완해서 집에서 만들 생각만 하면 하루 종일 기운이 넘치고 또 이걸 위해 내가 뭘 할 수 있는지가 제 삶의 원동력이자 기둥이 된답니다. 아침에 씻고 거울 앞에서 조용히 최대한 멋진 표정으로 읊어주는 거죠. 내가 누구? 바는 없지만 멋진 바텐더. 크으… 이렇게 소소하게 제 자아를 설립하고 자존감을 챙겨간답니다. 고작 바텐더가 뭐길래. 언젠가는 다시 바에서 일을 하며 정식으로 바텐더 겸 작가라고 할 수 있는 그날까지. 우선 작가가 되기 위해서 이 책을 마무리 지어야겠죠. 바는 없지만 멋진 바텐더인 나 자신을 위해 한잔.

코너 속의 코너 바텐더 QnA

바텐더를 하면서 자주 들었던 질문 들을 모아 전직 바텐더가 답변을 해드리는 시간을 가져보려 합니다! 하지만 답변을 보시기 전에 전 우선 전직 바텐더이며 주변 사람들이 바텐더를 하겠다고 말한다면 때려서라도 뜯어말리는 사람이라는 것. 미리 염두에 두시고 그저 재미로 읽어 봐주시면 좋겠네요.

1. 바텐더를 어떻게 시작하게 됐나요?

운이 좋게도 바텐딩이라는 것에 관심을 가졌을 때 독학을 하다 학교에 바텐딩 동아리가 있는 것을 알고 거기에서 정보를 교류하면서 활동하다. 채용 공고를 보고 바텐더로 일하게 되었답니다. 보통 주변도 칵테일에 관심을 가지다가 독학으로 바텐더를 시작하시는 분들이 많으시더라구요

2. 바텐더 하려면 술 잘 마셔야 하나요?

필수는 아니랍니다. 꼭 술을 잘 마셔야 하는 건 아니에요. 다만 위스키나 칵테일의 맛을 설명하고 가끔 손님과 대화하다가 한 잔씩 얻어 마시는 경우도 있기에 술을 아예 드시지 못하시는 분이라면 조금 힘들 수는 있겠네요.

위로는 됐고 위스키나 한잔 줘

3. 바텐더 준비하기까지 얼마나 걸렸나요?

전 운이 좋았던 경우라 채용 공고에 붙기까지 약 6개월 정도 바텐딩을 공부하다가 바로 일하게 되었답니다. 사실 조주기능사와 같은 자격증이 필요하신 것이라면 더 오랜 시간이 걸릴 수도 있겠지만 현실적으로 파트타임에서는 그렇게 요구하지 않는 조건이기도 하기에 바텐더가 되고 싶으시다면 간단한 칵테일을 공부한 뒤에 지원해보시는 것도 나쁘지 않아요!

4. 가장 만들기 어려운 칵테일은 뭐가 있나요?

술에 관심이 많고 유튜브를 자주 보시는 분이라면 한 번쯤 들어 보셨을 라모즈 진 피즈… 무려 정석으로 만든다면 대략 12분에서 15분의 쉐이킹이 필요한 흔히 얘기하는 노가다 칵테일이죠. 근데 사실 저는 몸이 힘든 칵테일보다도 맛을 잡기 힘든 칵테일이 더 어렵다고 생각한답니다. 좋은 예시가 클래식 칵테일인 진 피즈인 것 같아요. 진과 탄산수만 들어가는 심플한 구성이지만 진의 브랜드, 탄산수의 브랜드, 얼음의 상태와 스터 실력에 따라서 맛이 크게 차이나곤 하거든요. 제게는 진 피즈가 가장 어려운 것 같네요.

5. 본인이 가장 잘 만드는 칵테일은 뭔가요?

제가 전생에 어디서 해적질을 좀 했는지 럼 베이스의 칵테일이 저와 잘 맞더군요. 다이키리라는 럼과 라임즙을 조합한 칵테일이 있는데 이걸 변형시킨 라인업의 칵테일들을 잘 만든답니다.

6. 연습할 때 본인이 만든 칵테일 드셔보시나요?

당연하죠! 맛을 알아야 고칠 점을 찾고 손님께 설명드리고 팔 수 있겠죠. 물론 이런 정석적인 대답보다도 만들었는데 술인데… 버리거나 남 주면 아깝잖아요? 아무리 연습이라도 기껏 만든 걸요. 연습이란 핑계로 잔을 비우는 일이 허다하답니다.

7. 바텐더로 일하면서 곤란한 적이 있었나요?

아무래도 서비스직, 특히나 술을 판매하는 직종이기에 종종 취객을 대처할 때는 곤란한 적이 많답니다. 특히나 취하셔서 기물을 파손하거나 다른 손님께 해를 끼치시는 분들은… 정말 곤란하고 힘들죠.

8. 바텐더로 일하면서 힘든 점은 무엇인가요?

우선 일하는 시간이랍니다. 아무래도 야간 혹은 새벽까지 늦게 일하는 직종이기에 수면 패턴이나 삶의 질 자체가 크게 떨어지

는 경우도 많죠. 오래 서서 일하는 직종이다 보니 다리가 붓는
건 흔한 일이고요. 취객도 상대해야 하다 보니 흔히 상상하시
는 멋있게 바에서 격조 있는 손님을 상대하며 위스키를 내어주
는 일은 확실하게 아니랍니다. 그래도 그걸 뛰어넘는 매력이 있
기에 계속하고 싶지만요!

9. 바텐더는 운동 또는 식단을 어떻게 하나요?

바프를 찍기로 하고 운동을 하면서 제일 힘들었던 부분이었답
니다. 야간 새벽까지 깨어있어야 하다 보니 아침을 거르는 건
일상이고 운동하러 갈 시간과 힘도 없고 술은 참아야 하지만
가끔 어쩔 수 없이 먹어야 할 상황도 생기고… 바텐더가 운동
과 식단을 병행한다는 건 참 힘든 일인 것 같습니다. 그래서 종
종 바에 놀러가서 몸 좋으신 바텐더 님들을 보면 와 인간승리
다. 대단하다는 생각 밖에 안 들더군요.

10. 건강은 괜찮나요?

사실 저는 바텐더는 건강이 망가질 수밖에 없는 직업이라 생각
을 한답니다. 항상 술과 함께 하며 늦게까지 깨서 일하고. 이미
정상적인 생활양식에선 벗어나죠. 그렇기에 더 관리에 집중하
고 운동과 영양제에 집착하고 있답니다.

11. 술을 직접 빚어보신 적 있으신가요?

네. 막걸리를 빚어본 적은 있답니다. 그 외의 술들도 주조를 해보고 싶지만 아직은 자금과 기술의 한계로…언젠가는 홈 브루어리의 꿈을 이루고 싶네요!

12. 바에서 뒤에 전시되어 있는 술들 다 쓰시나요?

어… 솔직히 대부분을 쓰긴 하지만 인테리어의 요소도 강하답니다. 바 하면 생각나는 이미지가 딱 멋진 술장도 있잖아요? 손 닿는 위치에 자주 쓰는 술들을 놔두고 가끔 쓰는 친구들은 올려두는 등 차이는 있지만 결론은 대부분 쓰지만 장식용도 있다!

13. 가끔 섞다가 뭐 섞었는지 까먹기도 하나요?

바텐더도 사람이랍니다… 특히 주문이 한번에 밀려 들어와 쉐이커 여러 개에 하나씩 재료를 넣다 보면… 뭐 뭐 넣었더라? 하는 경우가 종종 생기죠. 그러지 않기 위한 팁들을 조금씩 익혀나가는 중이랍니다!

14. 매체에서 바텐더가 되게 멋있게 등장하는데 이거 신경 써본 적 있나요?

솔직히 네 그렇습니다. 일부러 정장 쫙 입고 출근하기도 하고

위로는 됐고 위스키나 한잔 줘

머리도 신경 쓰고 했지만 매체의 바텐더와 저의 가장 큰 차이인 패완얼을 까먹었지 말입니다… 큰 의미 없음을 깨닫고는 그만 뒀습니다. (강남 바텐더 분들 중 잘 생기신 분들이 많아요. 그리로 가셔서 드세요)

15. 직업병이 있나요?

음…별건 아니긴 하지만 물이나 술을 따를 때에 잔에 닿지 않게 병을 살짝 들어올리고 따른다거나, 어디 가게에 가면 무슨 술이 있는지 얼마인지 가격을 비교해 본다거나, 무슨 음료를 마시던 음미해보면서 어떤 술을 섞으면 어울릴지 생각해보는 등의 버릇은 생겼습니다!

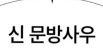

신 문방사우

영화 흥부를 보면 인상깊은 장면이 하나 있는데 주인공인 흥부가 문방사우라고 적힌 서예를 보며 자신을 찾아온 김삿갓에게 문방사우에 대한 얘기를 나누다가 김삿갓이 문방사우란 붓 종이 먹 벼루가 아니냐고 묻자, 흥부가 술, 여자, 풍악이야말로 진짜 글 쓰는 사람에게는 사우라는 대사를 한다. 여자는 모르겠지만 술과 풍악, 술과 노래만큼은 정말로 공감되는 대사였다. 특히나 종이로는 더 이상 글을 안 적는 나에게 술과 음악은 붓 종이 먹 벼루보다도 더 중요한 친구니깐. 그러면 술과 음악 말고도 내게 사우는 뭐가 있을까? 사실 4명까지나 필요한지는 잘 모르겠지만. 어디에다가 던져두건 노트북과 술, 음악만 있으면 글을 쓸 수 있으니…. 그나마 하나를 더 추가한다면 카페인이려나? 이렇게 써두고 보니 그냥 글 쓰는 사람의 문방사우라기 보

위로는 됐고 위스키나 한잔 줘

다는 삶의 찌든 현대인의 고달픈 친구들이 아닌가 싶다.

노트북 카페인 술 음악, 모아만 놓고 보니 문방사우보다는 패가
망신이라는 말이 더 잘 어울리는 조합이 아닌가 싶긴 하지만
글을 구상할 때부터 글을 쓸 때까지 늘 도움을 받을 수밖에 없
는 친구들이다. 일단 노트북을 펴고 아무 노래나 좋아하는 걸
로 틀어두고 위스키 한잔을 곁들이면 그때부터 영감이라는 것
이 찾아오면서 글을 쓸 수 있으니. 약간 그런 거지 헬스장에서
이어폰 없이 운동하는 사람을 보면 어우 저 사람 독하다 소리
듣듯 나도 음악과 술 없이 글을 쓰는 사람을 보면…대단하고
독한 사람이라는 생각뿐이다. 난 절대 저렇게 못 하겠구나. 내
가 너무 정신없이 글을 쓰나 싶기도 하지만 이렇게라도 하지
않으면 글을 끌어낼 수 없는 내 미력한 필력을 탓해야 하는 것
이겠지… 오늘도 이 네 친구들을 고이 모셔두고 있는 영감 없
는 영감 동네 잔치하듯 끌어들여 글을 써 내려가야겠지. 영감들
을 위해 한잔.

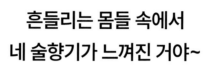

흔들리는 몸들 속에서
네 술향기가 느껴진 거야~

향수도 술도 어찌 보면 같은 알코올인데 왜 이리 몸에서 나는 냄새는 차이가 나는 걸까요…사실 술 향기도 향수만큼이나 좋은 술은 많지만, 사람이 먹고 나서 결국 남는 것은 몸에서 풍기는 알코올 냄새와 입냄새밖에 없다니, 결국 사람의 문제가 아닌가 싶죠. 이 향긋한 걸 마시고도 나는 냄새가 겨우 알코올 냄새뿐이라니, 기왕이면 마시기 전에 났던 약초 향이라던가 과일 향이라던가 캐러멜 향 같은 게 몸에도 남는다면 좋을 텐데. 만약 그런 술이 있었다면 향수 대신 늘 힙 플라스크에 술을 챙겨 다니면서 구강 스프레이 대신 술을 입안에 뿌리는 진풍경이 벌어지지 않았을까요. 냄새도 좋고 뿌리면 기분도 좋아지고, 추울 때는 체온도 올려준답니다! 이과들은 뭐하나 문과가 이런 아이

위로는 됐고 위스키나 한잔 줘

디어를 내줘도 만들지도 않고.

이건 그저 상상일 뿐이고 현실은 술 마신 다음 날에 몸 전체에서 풍기는 알코올 향을 씻어내기에 바쁠 뿐이죠. 기왕 비싼 위스키 마셨더니 다음날 남는 향은 소주랑 똑같은 알코올 향뿐이라니뿐이라니 좀 불공평한 게 아닐까 싶기도 하네요. 소고기는 와인에 재워두면 향도 좋아지고 잡내도 잡고 좋아지던데 사람도 똑같은 동물인데 왜 그렇게 되지는 않는 건지. [먹지 마세요 피부에 양보하세요]를 실현해야 할 때인가 싶지만 그러기엔 술이 아까워서 쉽사리 도전하진 못한답니다. 예로부터 권력자들은 종종 술로 목욕하는 것을 즐겼다는 기록이 있곤 한데 그 정도쯤이라면 몸에서 소주 같은 알코올 냄새 대신 좋은 향을 남길 수 있으려나요. 그전까진 전날 마신 흔적인 이 알코올 향을 씻어내고 향수에 감추고 나서야겠죠.

이슬만 먹고 사는 요정과 송충이들

'전 이슬만 먹고 살아요~ 참이슬!' 되게 오래된 농담이고 흔히 알려진 술꾼들의 농담이죠. 근데 이와 비슷하게 양주를 좋아하는 사람들에게는 송충이들이 있답니다. 진 그중에서 특히 봄베이 사파이어라는 진은 특유의 쥬니퍼 베리 향, 흔히들 얘기하는 솔의 눈 향이 강하게 나는것이 특징인 술이랍니다. 호불호가 많이 갈리는 술인데 이 봄베이 사파이어를 좋아하는 사람을 솔잎만 뜯어먹고 살 송충이라며 양주 애호가들이 많이 놀리곤 하죠.

이슬만 먹고 사는 요정과 송충이들. 사람들의 취향은 참 제각각에 다양합니다. 저한테 너무 맛있는 술과 음식이라도 누군가에게는 전혀 취향이 아닐수도 있겠죠. 당장 제가 마시는 아메리카노도 커피가 아니라고 주장하는 사람들이 얼마나 많나요? 정작 저는 그들이 좋아하는 에스프레소를 마시지 못하구요. 송충이들도 전 솔의 눈도 누군가 준다면 거절하진 않겠지만 봄베이의 경우에는… 최소한 토닉워터와 함께 진토닉으로 달라고 얘기할 듯싶네요. 그러면 송충이들은 얘기하겠죠. '네가 아직 이 참맛을 몰라서 그래.'

취향이 달라진 만큼 참 누구 입맛 맞추기 까다로운 세상입니다. 싸울게 없어서 민트초코와 파인애플 피자로도 싸우는 세상이잖아요? (tmi지만 저는 둘 다 누군가 제게 사준다고 한다면 먹습니다.) 그런 와중에 모두의 입맛을 다 충족시키기란 늘 어려운 거겠죠. 지금 제 글만 하더라도 누군가에겐 재밌겠지만 누군가에겐 이런 걸 책으로 낸다니 나무에게 미안하지도 않나 생각할 수도 있고요. 근데 뭐 어쩌겠어요. 애초에 모두가 다 좋아해 주길 바란 것도 아니고. 이런 글을 좋아하는 특이 식성, 특이 취향 요정과 송충이들을 위해 계속 써 내려갈 뿐이랍니다. 거 취향 존중 좀 해주시죠!

존중입니다 취향해주시죠

바야흐로 대 분쟁과 호불호의 시대입니다.

파인애플 피자

닥X페퍼

민트초코

데X와

그리고 이 분쟁의 역사를 거슬러올라가면
유구한 역사와 전통의 부먹vs찍먹이 있지요.

그리고 여기 이 모든 분쟁의 중심에서
처먹을 외치는 회색분자가 있습니다.

그거 고민할 시간에
하나라도 더 먹는 자가
이기는 겁니다.

간장찍먹 해보실?

그리고 이 '처먹' 룰은 봄베이에도 적용이 됩니다.
(봄베이 외의 진을 안 마셔보기도 했고..)
어쩌면 이건 일종의 힙스터 정신 내지는
락의 저항정신일지도 모르겠네요.

일단 먹애면 되지ᴖ

우리 봄베이
나쁜애 아니야ᴖ

오늘의 추천레시피
봄베이/레몬즙/토닉
1:1:1 비율~

아무튼 세상엔 다양한 진이 있으니까는...
언젠가는 한번씩 맛보는 게 나름의 목표입니다.
특히 오이랑 같이 먹어야한다는 헨드릭스 진.

그러고보니 오이도
호불호 엄청 갈리잖아요?
물론 전 이것도 처먹을거지만

주당이 즐비한 동네는 맛집이 많다

어느 동네든 유명한 전통주 혹은 유명한 식재료가 있는 곳은 반드시 그 술과 어울리는 맛있는 안주도 존재한답니다. 아쉽게도 한국은 소주라는 모든 음식에 어울리는 마스터피스 급의 마법의 음료가 있기에 조금 지역색이라는 것이 퇴색되는 느낌이 있지만 그 치열한 경쟁 속에서도 살아남은 전통주와 주류들 그리고 지역 음식과의 궁합은 당연히 말할 필요도 없죠. 개인적으로 제일 좋아하는 조합은 경상도 출신 다운 안동 소주와 안동 찜닭입니다. 만약 안동에 여행 갈 일이 있어 찜닭을 먹었는데 뭔가 이름값만큼은 아닌 것 같다? 그때 안동소주를 한 병 시킨다면 그 자리는 완벽해지죠. 짭짤 달콤한 찜닭에 누룩 향이 은은하게 느껴지는 깔끔한 전통 소주라면. 밥반찬으로 좋은 것은 당연히 술안주로도 좋다는 공식이 다시 재설립되는 순간입니다.

술이 먼저인지 안주가 먼저인지 마치 닭이 먼저인지 계란이 먼저인지와 같은 답을 내놓기 힘든 질문이지만 확실한 건 어느 시대든 술꾼들은 술과 함께 어울리는 안주의 공식을 찾아 헤맸을 거라는 것. 중식에 연태고량주가 잘 어울리듯, 스테이크에 탄닌감이 강한 레드와인이 잘 어울리듯, 진도 홍주가 진도의 해산물과 잘 어울리는 것처럼 말이죠. 맛있는 술에는 맛있는 안주가 맛있는 안주에는 맛있는 술이 있어야 하는 법입니다. 오늘은 또 어떤 안주를 마련해서 어울리는 술을 한잔할 수 있으려나. 소소한 행복을 찾아 한 잔.

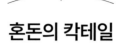

혼돈의 칵테일

칵테일의 본질은 결국 섞는 것이라고 전 생각해요. 술과 술, 혹은 술과 음료를 섞어 새로운 맛을 만들어 내는 것, 그렇기에 엄청난 가짓수와 상상도 못한 조합, 비율에 따라 달라지는 맛까지 방대하고 다채로운 세계가 만들어 진답니다. 심지어는 만드는 사람의 버릇이나 같은 술이라 하더라도 브랜드나 보관 상태에 따라서도 달라지는 것이 칵테일의 맛이니 이래저래 심오할 수밖에 없는 세계죠. 특히나 조합이 간단한 칵테일일 수록 더 혼돈에 빠지게 된답니다. 똑같은 용량을 똑같은 방식으로 만든 것 같은데 대체 왜 맛이 다른 거지? 이게 흔히들 얘기하는 손맛이란 건가? 저보다도 현직에서 칵테일을 잘 만드시는 명인 급의 바텐더님들을 보면 손목 이식 수술 같은 건 없나…이런 생각만 들뿐이랍니다.

위로는 됐고 위스키나 한잔 줘

물론 칵테일의 맛에 정답이라는 건 없고 개인의 개성에 따라 달라지겠지만 그래도 기왕이면 누가 먹더라도 맛있다!라는 반응이 나올만한 칵테일을 만들고 싶은 욕심은 있는걸요. 나름대로 감을 놓치지 않기 위해 다양한 클래식 칵테일들과 시그니쳐 칵테일들을 연습하고 만들어 보고 있지만은 저보다도 잘 만드시는 분들의 것과 비교해 본다면⋯그저 마음이 혼란해질 뿐이랍니다. 대체 뭐가 이리 큰 차이를 만드는 건지. 가끔은 아침에 만든 칵테일을 저녁때 똑같이 만들어도 맛이 다르니 혼란만 가득해진답니다. 그래도 이런 맛의 차이라도 알게 된 것이 어딘가 싶기도 하고. 이 수많은 맛의 조합들 중에서 언제쯤 마음에 드는 아, 이게 '날 대표하는 맛이야'라고 당당하게 내놓을 수 있는 대표 시그니쳐 칵테일이 나올 수 있을지. 그때까지는 이 혼돈 속을 헤쳐 나가며 제맛을 찾아가야만 하는 거겠죠. 그러니 어쩌겠어요 일단 한잔 또 만들고 맛봐야지. 절대 술이 땡겨서는 아니고 그냥 연습용이에요 연습용. 오늘도 혼돈 속에서 늘어난 술 마실 핑계를 위해서 한잔.

칵테일 계의 폭탄주 롱아일랜드 아이스티

준비물

럼,진,보드카,데킬라,트리플섹 15ml, 라임주스 15ml, 콜라 한 캔

만드는 법

1)   쉐이커에 콜라를 뺀 모든 재료와 얼음을 넣고 쉐이킹 해줍니다.
2)   잔에 옮겨 담아주고 콜라를 잔에 가득 채워줍니다

칵테일 계의 유명한 폭탄주 롱아일랜드 아이스티

한번 드셔보시죠!

대혼란의 K-칵테일

"사발식" 이라는 것을 알고 계신가요?
큰 통에 때려부은 술(+기타등등..)을 돌아가며
마셔 없애는 옛날옛적의 소속감 고취 의식...

벌컥벌컥

저는 밥통 내솥에
든 것을 동기들과
나눠마셔봤습니다...

가혹행위입니다
따라하지마세요

술과...먹을 수 있는 이것저것을 다 때려넣고 섞은...
이것도 넓은 의미에서는 칵테일로 볼 수도??
있지 않나? 싶?은? 생각이 문득 들었단 말이죠??

레시피
소주
맥주
요구르트(딸기맛)
발포비타민 3정
얼음
깻잎(체함 방지용)
...
...

가혹행위입니다
따라하지마세요

Volhum

위로가 아닌 위스키로

나도 누군가의 장르가 되고 싶다

요즘 특색 있는 창작가가 있다면 꼭 따라붙는 흔히들 말하는 주접? 멘트가 있다. 장르가 ~~~이다. 예시로 안예은은 장르가 안예은이다. (안예은 가수님 정말 애정합니다. 책도 샀고요 앨범도 샀어요.), 장르가 마동석이다. 이런 말들을 많이 보게 된단 말이지. 그 사람으로 대표되는 장르라니 얼마나 멋있어. 그냥 발라드, 그냥 액션배우라는 말로는 설명이 안 돼서 이건 '그냥 그 사람이다'라고 장르를 지칭해 버리는 독보적인 존재감. 창작가에게는 사실상 최고의 칭찬이 아닐지 라는 생각이 든다. 이름 말고는 그 창작가의 작품을 설명할 방법이 없는 거잖아. 얼마나 멋져.

글을 쓰기 시작한 이후로 내 최고 목표는 누가 봐도 이건 외 1 명이 쓴 글이다. 라는 것이 티가 나는 글. 이런 주제 이런 표현은 외 1명밖엔 못쓰지. 이런 표현을 받아보고 싶었다. 굳이 따지자면 '와 음주가무 관련 에세이는 역시 외 1명이지!' 이런 느낌? 하지만 아쉽게도 아직은 모자란 글솜씨와 떨어지는 창의성 탓에 장르가 되진 못하고 있는 나날들일 뿐이지만.

창작가라곤 하지만 난 Creator와 imitator 중 imitator의 기질을 더 타고난 작가이기에 아직도 나만의 글이라던가 나만의 표현이라는 말은 멀게만 느껴진다. 나도 멋진 표현 멋진 글 쓰고 싶지. 하지만 아직 표현력이 모자란 걸 어떡해. 모방은 창조의 어머니라는 말을 빌려서라도 글을 써 내려가야겠지. 그러다 보면 언젠가는 내가 원하는 창작자 creator가 될 수 있지 않으려나.

시그니쳐 칵테일도 마찬가지로 아쉽게도 아직은 완전히 내 오리지널이라 부를 수는 없는 트위스트 한 계열의 칵테일밖에 없지만. 사실 이건 대부분의 칵테일이 그렇겠지만. 언젠가는 기주부터 가니쉬까지 내 손을 안거친 것이 없는 그런 온전한 나만의 칵테일을 만들 수 있다면 그때는 당당하게 내 시그니쳐 메뉴라면서 손님께 내놓을 수 있지 않을까. Creator인 나로서. 창작자로서 아직 갈 길이 먼 나이긴 하지만. 먼 길도 한 걸음부터 차분하게 한 잔

내 얼굴은 두 개

그림 좀 그려봤다는 사람들도 꿈을 꾸고는 합니다.
'어? 이거 누구 그림인데?' 하고 사람들이
알아봐주는 그런 상황이요.

흔히 그림체라고도
하죠.

그리고 더 나아가서는... 다른 계정에 올린 그림도
알아봐줬으면 하는 마음 정도?

공개적으로 올리기엔
쪼금 뮈시기한 그림들은
다른 곳에 분리수거하고 있습니다.

위로는 됐고 위스키나 한잔 줘

제 그림의 팬분께서 제 다른 계정에 찾아와서
따지는 상황... 솔직히 정말 짜릿할 것 같거든요.

님 누가 님 그림체
베끼는 거 같아요;;

님 혹시 볼프님 그림
도용하신 건가요??

A. 둘 다 접니다

그럴 때를 대비한 답변도 준비해뒀다는 건
공공연한 비밀입니다.

알려주셔서 감사합니다.
본인과의 원만한 대화로
해결했습니다.

쒜쒜쒜쒜~

위로가 아닌 위스키로

Bourbon in the mirror

아버지와 마지막으로 술잔을 나누었던 게 언제였을까. 한국의 어느 가정이 그러하듯 적당히 엄하시며 적당히 친구 같은 아버지를 둔 나이지만 아버지와 술잔을 나눈 것은 상당히 오래전 기억을 더듬어야 할 정도이다. 서울에서 살고 있는 나와 경주에서 농업에 종사 중이신 아버지. 아무래도 다를 수밖에 없는 환경과 맞지 않는 시간으로 같이 술잔을 나눌 기회가 갈수록 줄어드는 상황이니. 그런데 가끔 홀로 술을 먹다 보면 상투적인 표현으로 거울에서 아버지가 비쳐 보인다. 분명히 내 얼굴이었을 텐데. 취향도 사는 방식도 참 다르고 안 맞다 싶었는데. 어느 순간 술잔을 비우고 고개를 들어보면 그곳엔 나도 아버지도 아닌 누군가가 거울 속에서 날 빤히 바라보곤 한다. 뭘 그렇게 서로를 이해 못 했는지. 뭘 그리 서로에게 자존심만을 세워

위로는 됐고 위스키나 한잔 줘

됐는지. 인제 와서는 다 해묵은 감정들이지만. 남자라는 생물들은 다 똑같은 건지 아니면 내가 너무 불효막심한 불효자식인건지 술 한잔하자는 그 이야기가 쉽사리 나오질 않는다.

짧은 인생이지만 그중 반은 그를 동경하였고 따라가기에 애를 썼고 그중 반은 그를 부정하고 그와 닮지 않으려 애를 썼다. 그 혼란 가운데에 결국 남은 것은 그와 나를 반씩 닮은 거울상뿐이라니. 이런 바보 같은 사실을 왜 진작 알지 못했는지. 좋든 싫든 나는 그의 일부이며 그 또한 나의 일부인데 왜 서로 부정하기에 바빴을까. 늘 하던 대로 손님에게처럼 한잔하자고 말을 건네보았더라면 이 엄숙하고 답답한 분위기가 조금은 해소되었을까. 같은 사람일 뿐이지만 유독 미우면서도 미워할 수 없는 그런 관계. 그게 부자 관계인가 싶다. 아직은 자식이 없는 나이기에 언젠가 흔히들 얘기하는 것처럼 너 똑 닮은 자식 하나 낳아보면 그의 마음을 알 수도 있겠지만 아직은 그저 거울 속에 멀끔히 떠오르는 나의 얼굴과 겹친 그의 얼굴과 등을 그저 멍하게 바라볼 뿐이다. "Life is bitter sweet like a bourbon whisky" Zior Park의 hero in the mirror라는 곡의 가사처럼 달콤쌉싸름한 인생이지만 적어도 그에게 있어 술자리에서 부끄럽지 않은 안줏거리이자 자랑거리가 한번은 되었으면 하는 나이지만 아직은 이루어 낸 것이 없기에 적어도 이 책이라도 그의 버번 한잔에 쌉쌀함보다는 조금의 달달함이 추가되었기를 바라야지. 오늘도 차마 말은 꺼내지 못한 채 거울 속의 나와 그가 한데 모여 버번 한잔을 나눈다.

Just father

준비물

버번위스키 2oz, 버터스카치 리큐르 1oz

God father를 트위스트한 좀더 달달해진 버번 베이스의 칵테일.

위로는 됐고 위스키나 한잔 줘

엑스트라의 반란

가니쉬. 칵테일에서 참 중요하지만 외면받기 쉬운 엑스트라 1 과 같은 조연인 존재. 외 1명이라는 필명을 쓰는 나로서는 참 공감이 갈 수밖에 없는 정감 가는 존재이다. 칵테일의 기본 구 성 요소이면서도 칵테일을 다른 술들과 차별화하는 장식이자 기능이 가니쉬라 생각하지만. 정작 장식이라는 생각에 다들 그 냥 보고 예쁘다~이러고는 바로 빼버리거나 남기는 경우가 대 부분이고 요즘 캐주얼 바에서는 단가 문제로 아예 가니쉬를 없 애는 경향도 보이고 있으니… 이거 조연은 억울해서 살 수 있 나요.

레몬껍질 함부로 버리지 마라 너는 누군가에게 향긋했던 적이 있었는가! 레몬 필이나 웨지는 그저 장식으로 취급받기 쉽지 만, 꽂혀있는 것만으로도 향과 맛을 더해 주기에 술에서 채울 수 없는 미묘한 향과 맛의 차이를 이 가니쉬들이 보충해 주는 극에서는 빠질 수 없는 1등 조연들이다.

야구팬들이 많이 하는 표현처럼 4번 타자만 잔뜩인 팀은 이길 수 없다. 도루가 빠른 타자, 수수하지만 4번 타자를 위해 진루해 주는 타자, 번트 잘 대주는 타자 다 있어야 점수를 낼 수 있는 거지. 가니쉬도 그런 거 아닐까? 별거 아닌 것 같고 무시당하기 십상이지만 나름 자기 할 일 열심히 뒤에서 묵묵히 하고 있다고요! 당신이 이 한잔에서 알아챌 수 있을지는 모르지만…

그래도 기왕이면 누구나 알아볼 수 있는 화려한 가니쉬가 된다면 좋겠지. 그전까진 얌전히 누군가 알아주길 바라면서 향기를 품고 있어야겠지. 그런 글을 쓰는 외 1명이 되어야겠지. 가니쉬에게 마저 교훈을 하나 배워가며 수없이 깎여나간 레몬 껍질들을 위해 한잔.

올드패션드

준비물

위스키, 비터스, 각설탕 1개

만드는 법

1) 온더락 잔에 각설탕과 비터스 2대쉬를 넣어줍니다.

2) 얼음과 위스키 45ml를 넣어준 뒤 설탕이 적당히 녹을때까지 스터 해줍니다.

3) 제 취향의 피니쉬이지만 마무리로 비터스를 1대쉬 더 뿌려준 뒤 오렌지 껍질을 한번 짜서 가니쉬 해줍니다.

제 취향이 그득그득하지만 저는 라이 위스키에 오렌지 껍질 가니쉬가 제일 맛있더라구요 껍질이라 무시하지 마십쇼 오늘만큼은 주인공이니깐요.

있는 듯 없는 듯

밴드 좀 해봤다는 피플들은 이렇게 말하고는 하죠.

드럼은 밴드의 심장이다

기타는 아무래도
얼굴이려나

베이스는
척추라던가

카페 음료에 비유를 해보자면....

기타는 우유

베이스는 얼음

드럼은 컵

보컬은 샷

.....대충 요런 느낌?

위로는 됐고 위스키나 한잔 줘

그리고 건반은...
건반 없는 곡에 토핑처럼 껴들어가면 사운드가
훨씬 풍성해지지만 없어도 그만이라는 점에서
가장 마지막에 올라가는 휘핑크림이나
초코칩 정도에 비유를 했었습니다.
물론 지극히 개인적인 생각에 불과하지만요.

어휴 텍스트 많은 거 보소

한창 건반을 잡고있던 시절의 저는
건반 없는 곡에 불만이 많았거든요.
이 빈 공간을 뭘로 어떻게 채울지도 모르겠고,
내가 빠져도 밴드는 잘만 굴러갈 것만 같아
속이 쓰리고, 기타등등 어쩌구...

뭐 주연이 되고 싶은 욕심에서
비롯된 불만이었죠 허허

호록

위로가 아닌 위스키로

그렇지만 토핑이란 건 뭘 올려도 어울리는 법이고
뭘 올리느냐에 따라 도넛의 이름이 바뀌기도 하는
중요한...그 뭐냐 그거 아니겠습니까.

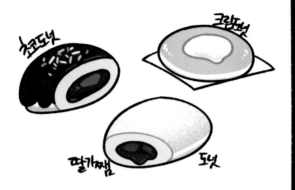

초코도넛

크림도넛

딸기쨈

도넛

이런 사운드 특장있을 때는 그냥 그렇군 싶다가도
없으면 허전하고 섭섭해짐

물론 진짜 고수들은 이렇게 화려한 토핑 없이도
충분히 곡의 칼로리를 올려줄 수 있겠지만요.
비유하자면 설탕코팅같은 느낌이랄까

도넛먹고싶다

커피랑 같이..

위로는 됐고 위스키나 한잔 줘

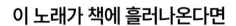

이 노래가 책에 흘러나온다면

바람처럼 왔다가 이슬처럼 갈 순 없기에 이리 책이라도 남겨야 하지 않겠습니까. 하지만 표현이 비루한 나이기에 이리 남의 노랫말의 힘이라도 빌려 한 문장씩 적어내야 하겠죠. 연인에게 전할 밤편지를 쓰는 심정으로. 서른 즈음에 이 글을 한편 써내려갑니다. 글을 쓰는 지금은 봄을 기다리는 겨울, 희미하게 스러졌다 다시 온 봄 그사이 흩날리는 꽃잎 같은 글을 써 내려가고 싶습니다. 투명한 유리구슬처럼 보이지만 쉽게 깨지지 않을 마음을 담고 싶습니다. 봄바람 휘날리면 흩날리는 벚꽃 잎처럼 이 글이 당신께 전달된다면 얼마나 좋을는지. 하지만 갈대처럼 휘고 잡초처럼 밟힐 글은 아닐는지 걱정이 앞선답니다. 그렇다고 울진 마요 전 어디 가지 않고 이리 글을 쓰고 있을 테니. 딱 10센치만 한 발자국만 가까이 오셔서 이 글을 한번 읽어 보셨으면 좋겠어요. 이 글을 읽을 당신의 후광이 보이고 느껴지는 것처럼 생생하답니다. 이 글을 읽는 당신은 어떤 사람일까요? 당신은 글과 함께 저와 함께할까요 아니면 그들처럼 저를 떠나가고 말까요. 혹시나 제 곁에 남아계신다면 속물적이게도 저는 진짜 지독하게 유명해져서 11명이 넘게 저를 사랑하게 만들고 싶답니다. 그래도 한 사랑만 할 거랍니다. 글을 읽는 당신 절 좀 봐요. 대단하다고 해줘요. 이런 속물적인 말을 내뱉고 있지만 진심인걸요, 당신은 저의 데미안, 당신은 저의 수레바퀴 아래서, 그걸로는 부족한걸요. 제 심리상담사도 지루해서 졸고 있을 만한 글을 읽어주고 계시니 얼마나 감사한지요. 이렇게 주저리주저리 쓰다 보면 고질적 신파가 되어버릴 듯 해 이만 줄여야만 하겠죠. 일기 쓸만한 노트와 연필이 생기다니 참 좋지 아니한가요. 제가 이리 글을 쓰는 동안에 다들 구경하러 모여듭니다. 저는 아직 글과 당신을 놓아주는 법을 모르지만 그래도 이제는 놓아주어야겠죠. 당신과 다시 만날 세계를 기다리며 이만 마무리 하겠습니다. 당신과 말리부 오렌지를 같이 한잔할 수 있을 그날까지.

모든 문장마다 가사와 앨범 제목이 인용되어 있답니다. 하나씩 찾아보세요. 만약 다 찾으신 분이 있다면 저와 음악취향이 아주 비슷한 분이시거나 음악광이시겠군요.

광증에 대하여

아마 내가 성인이 된 이후로 가장 많이 들은 칭찬 아닌 칭찬이
넌 정말 미친놈 혹은 또라이야 일 것이다. 재수를 선택했을 때
담임 선생님께. 국문과를 선택한 후 친척 형에게, 바텐더를 선
택한 후 주변 모두에게, 글을 쓰기 시작했다고 했을 때 주변 모
두에게. 딱 한 마디로 감상을 듣곤 했다. '어휴 미친놈.' 난들 멀
쩡한 정신과 건강한 신체로 살아간다면 얼마나 좋겠냐마는 이
광증이라는 것이 날 내버려두질 않는다. 계속해서 남들이 미친
짓이라고 하는 것에 도전해 보고 싶어진다. 그 속에서 나만이
할 수 있는 것이 무엇인지 찾아보고 싶어진다. 마치 사이비 신
도들이 어디서 탄핵받을 때마다 주어진 시련을 겪을 뿐이라며
정신 승리를 하며 묘한 쾌감을 느낀다는 얘기처럼 아마 나는
그렇다면 내 속의 광증 광신도일 것이다. 아무도 안 쓰던 재료

로 멋들어진 칵테일을 만들고 싶다. 평생 시만 쓰던 녀석이 갑자기 긴 글에 도전해서 소설과 에세이를 쓰고 싶다. 이렇게 무모하게만 보이고 남들에게 미친 놈이라 평가받던 선택을 순간의 흥미와 속의 광증이 시키는 대로 따라가며 해왔다. 이 선택들이 날 좋은 쪽으로 혹은 나쁜 쪽으로 끌고 간 것인지는 알 수 없지만 결론은 난 내 광증에 의한 선택을 후회하지 않는다. 다만 선택에 의한 책임만이 있을 뿐.

아마 계속 이렇게 내 광증을 믿고 선택하며 사는 이상 나는 계속 미친놈 소리를 들으면서 살 것 같다. 하지만 난 바텐더가 되었고 책을 2권째 써 내려가고 있으며 또 광증에 따라 새로운 도전을 꾸준히 이어나갈 것이다. 미친놈이라는 말이 욕이 아닌 칭찬이 되는 그날까지 나는 이 광증을 평생의 고질병으로 안고 살아가게 되겠지. 뭐 어때 재밌으면 그만인걸.

자작 칵테일 madness

준비물

보드카, 럼, 진, 데킬라, 핫식스, 카시스 리큐르

만드는 법

1) 쉐이커에 보드카, 럼, 진, 데킬라를 1oz씩 카시스를 20ml 넣어줍니다.

2) 쉐이크 후 잔에 옮겨 담고 핫식스로 마저 채워줍니다.

3) 원 샷!!

한번 마시고 다들 미쳐 보자구요.

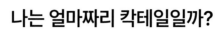

나는 얼마짜리 칵테일일까?

바를 다니다 보면 참 가격이 다양한걸 볼 수 있다. 대학가 근처의 8000~9000원 대의 칵테일부터 잔에 20000~30000원 대의 칵테일까지. 그 양쪽에서 다 일해보았던 바텐더였던 나는 지금 얼마짜리 칵테일을 만들고 있는 걸까? 팔고 있는 칵테일의 가격이 그 사람의 모든 걸 대변하는 것도 아닐 테고 위치와 장소 같은 현실적인 요건도 있기야 하겠지만. 그래도 나는 기왕이면 내 칵테일이 비싼 값이었으면 좋겠다. 비싼 만큼 값어치는 하는 그런 칵테일. 싸구려는 되지 말아야지. 적어도 그 값 이상의 가치는 가져야지. 근데 객관적으로 내 칵테일은 그 값 이상의 가치를 지닌 걸까? 변변한 수상 경력도 없고 심지어 일한 경력조차 짧은 내가 만들어내는 칵테일엔 얼마의 가치가 붙을 수 있을까? 그렇기에 변변치 못한 나라고 하더라도 한 잔 한 잔에 전력투구하려 노력한다. 적어도 돈 받고 파는 것에 값어치가 없으면 안되는 거겠지. 그래도 13000원의 값어치는 슬슬 넘어간 칵테일을 만들고 있다면 좋을 텐데. 바에서 일하고 있지도 않은 지금, 내 칵테일의 값어치는 어디쯤 가고 있을까 고민과 함께 한잔.

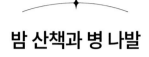

밤 산책과 병 나발

가끔 유독 잠도 안 오고 생각이 복잡할 때는 무작정 발 닿는 곳으로 밤 산책을 떠나곤 한다. 막 소리 지르고 싶고 짜증이 치밀어 오르는 그런 날일수록 더더욱. 그렇게 무작정 걷다가 걷다가 이제는 한국에서 없는 곳이 더 적을 듯한 편의점이 보이면일단 입점. 아무리 그래도 소리를 지를 순 없으니, 나발을 불더라도 병나발을 불어야지. 소주, 맥주도 좋지만 보통 내 선택은 KGB 같은 낮은 도수의 달달한 탄산감이 있는 음료 같은 병 주류들. 일단 두 병 정도를 사고 또 아무 생각 없이 밤공기를 마음껏 탐닉해 본다. 그렇게 또 걷다가 걷다가 목이 말라올 때쯤 아껴둔 병을 따서 시원하게 병나발. 고성방가만큼이나 속시원한그 순간 조금은 마음이 풀리곤 한다. 슬슬 집 돌아가야지…. 원고도 마무리하고…. 집 청소도 하고… 돌아오는 길도 병나발과

위로는 됐고 위스키나 한잔 줘

함께 기분이나마 신명나게 연주하며 돌아와 본다. 피리부는 사나이처럼 쥐 대신 근심 걱정들을 잔뜩 꾀어내서는 피리 불 듯 입에서 병을 놓지 않은 채. 그렇게 오늘 밤도 신명 나게 불어대며 하루가 간다.

카페에서만 시간 때우라는 법 있나요?

가끔 기분전환이 필요한 날에는 카페를 갑니다.
특히 바닷가에 있는 카페를 좋아해요. 창가자리를 점령하고는
바닷물 구경도 좀 하다가 사람 구경도 좀 하다가
맛난 거 먹으면서 (정말정말 가끔) 책도 읽고 그림도 그리지요.
잠깐 컴퓨터와 멀어지는 이 시간이 소소한 힐링타임인데,
하루는 하필이면 늦은 저녁에 나가고 싶은 마음이 들었단 말이죠.
그래서 수제맥주집을 찾았습니다.
은은한 조명 아래 다른 테이블에서는 옹기종기 모여서
술 마시고 노가리 깔 때 저 혼자
감튀에 맥주 한 잔 시켜놓고 그림그리는
이 힙스터스러운 행동.
뭐 맥주집에서 이러지 말란 법도 없잖아요!

위로는 됐고 위스키나 한잔 줘

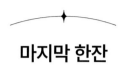

마지막 한잔

바텐더라는 직업을 택한 이후로 주변 바텐더들과 술꾼들에게 제일 많이 물어본 질문. "만약 인생 마지막 순간에 딱 한 잔을 마시고 잠들 수 있다면 제일 추억이 많은 술 vs 가장 마셔보고 싶던 술?" 대부분의 바텐더와 술꾼 친구들은 한참을 고민하다가도 낭만 있게도 제일 추억이 많은 술 한 잔을 마시고 잠들 듯이 죽을 수 있다면 좋을 것 같다는 답변을 해주었다. 난 어떻지? 참 마셔보고 싶은 다양하고 비싼 술들이 많지만 그래도 마지막 순간이라면 역시 제일 추억에 남는 술 한잔을 택할 것 같다. 기왕이면 한 잔보다는 한 병으로

내게 가장 추억으로 남은 술은 무엇일까? 학창 시절 내내 지겹도록 마신 소주와 맥주, 처음으로 양주와 칵테일의 세계를 내게 알려준 선배가 사 줬었던 잭 다니엘, 글을 쓰거나 혼자 있고

싶을 땐 꼭 찾게 되는 압생트, 명절날 친척들에게 받아먹던 법주 등등. 당장 생각나는 술과 추억들만 하더라도 한참이고 내가 계속 글을 쓰고 술을 마시고 살아가는 한 또 어떤 술과 만나고 어떤 추억이 쌓일지는 모르는 일이니 원. 당장은 결정하기 힘들지만 언젠가 내 마지막 순간까지도 평온하게 이런 생각을 하면서 느긋하게 마지막 한잔을 정하고 느긋이 그 한잔을 즐기고 평온하게 잠들 수 있을까? 그건 또 그때까지 살아보지 않으면 모르겠지.

결국 지금은 정할 수 없지만 언젠가는 마지막 순간에 결정장애가 오지 않고 정할 수 있기를 정하면서도 주마등처럼 좋았든 혹은 나빴든 혹은 이상했던 그 온갖 기억들과 함께 다양한 술들이 내 뇌리를 거쳐 지나가 줄 수 있기를. 그 술들과 함께했던 사람들과 순간들이 다 기억에 남아주기를. 그리고 나도 어떤 사람에게는 그런 기억에 남는 술과 같은 사람이었기를. 이 책이 여러분께 그런 기억으로 좋든 싫든 이상했던 기억 저편 어딘가에 남기를 바라며 마지막 한 잔까지 함께 해주신 여러분께 감사합니다. 또 언젠가 같이 한잔하기를.

여러분의 추억의 혹은 꼭 마셔보고 싶은 술은 무엇인가요?

—————

Song to cocktail

—————

노래를 듣는 일은 참 기분 좋은 일이지만 그저 듣기만 하기엔 뭔가 아쉬웠습니다. 만약 노래를 다른 식으로 표현해서 보고 듣고 맛보고 즐길 수 있다면 얼마나 좋을까. 그런 생각으로 우선 좋아하는 노래들을 모아 칵테일로 하나씩 표현해 보았습니다. 한 잔씩 듣고 맛보시며 공감하실 수도, '아냐 이 노래는 이런 느낌이 아니야'라고 생각되실 수도 있겠지만. 이건 저만의 해석일 뿐이니 여러분도 좋아하시는 노래가 있다면 추천해 주시고 한번 다르게 표현해 봐주세요. 그것만으로도 저희의 감각은 다채로워질 수 있으니까요.

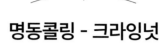

명동콜링 - 크라잉넛

말달리자로 우리에게 더 친숙한 밴드인 크라잉넛. 그 이미지 덕인지 때문인지 아쉽게도 이 서정적인 명곡은 밴드 잔나비의 커버 버전으로 더욱 유명해지게 되었지만, 원곡이 잊혀가는 애석한 상황이다. 글쓴이의 후배인 A 양의 표현을 빌리자면 커버 버전의 명동콜링은 이뤄지지 못한 미련에 대한 애잔함이 잔뜩 남은 그런 감정선의 연속이라면 원곡은 마치 체념하고 돌아서는 듯한 어찌 보면 추억에 묻어두고 잊으려 하는 눈물이 보이는 그런 차이가 있다고 한다. 확실히 크라잉넛의 명동콜링은 첫 하모니카 소리의 시작부터 해서 오히려 신나는 듯한 멜로디의 세션 하지만 가사만은 슬픈 그런 이질감이 이 노래를 극대화시켜 준다.

크리스마스 명동거리라니. 서울에 살아보거나 있어 본 사람이라면 이 장소가 어떤 느낌일지 확 다가오리라. 모두가 커플인 눈 내리는 거리에 홀로 선 모습이 상상되며 그런 기억은 없지만 나도 같이 울어주고 싶은 그런 쌀쌀함과 따스함이 같이 느껴지는 공간. 그 공간을 표현하기 위해 특별히 그냥 보드카보다는 자몽과 레몬을 인퓨징한 보드카를 이용하였다. 씁쓸한 소주 같지만, 더 독하면서도 역하지만은 않은 그 공간. 그 공간에서 자몽의 달콤쌉싸름한 그런 맛이 입을 휘감도록. 하지만 가사처럼 언제나 우리 둘은 영화와 같기에 눈과 같은 백설탕의 리밍으로. 바텐더의 실력이 모자라 아쉬운 조각배의 표현은 애교로 봐주시면 감사할 따름이다. 그 모든 순간이 추억이 되어 춤을 춘다면. 이 달콤쌉싸름한 한 곡은 그들을 위한 최고의 위로가 되기를.

SIMPLE RECIPE

준비물

레몬자몽 보드카 45ml, 자몽시럽 15ml, 탄산수 30ml

만드는 법

설탕 리밍한 온더락잔에 얼음을 채우고 재료들을 빌드 해준 뒤 레몬 웨지 한조각으로 가니쉬

시퍼런 봄 - 쏜애플

이젠 인디라고 하기엔 너무나 잘 알려져 버린 인디밴드 쏜애플. 기타를 잡아보고 밴드에 속한 사람이라면 한 번쯤은 들어보고 시도해 보려 했을 그 밴드인 쏜애플. 하지만 이 강렬한 가시 돋친 사과는 쉽사리 접근을 허용하지 않는데 강렬한 기타 사운드와 보컬 실력이 제일 큰 벽이 되어 늘 시도를 가로막는다. 좋아는 하지만 정말 의지와 재능이 없는 나 같은 기타리스트로서는 어쩔 수 없이 기타로 연주하진 못하더라도 칵테일로 표현할 수밖에. 굳이 시퍼런 봄이라는 곡을 선택한 이유는 일단 내가 제일 좋아하는 노래여서. 인트로의 기타 리프부터 보컬 나머지 세션까지 빠지지 않는 이 곡을 안 선택할 수는 없지. 쏜애플의 노래는 하나같이 어딘가 애절하고 채워지지 않고 그렇기에 갈망하는 그런 이미지의 곡들로 나에겐 해석이 된다. 한참 아름

다운 시절일 청춘 대신에 아주 시퍼런 봄으로 제목부터 강렬하게. 시퍼런이라니 마치 익사체에나 쓸 법한 그런 표현을 봄과 함께 써버린다. 가사마저 식어버린 말, 시든 꿈, 끝이 없는 기나긴 하나의 계절. 그럼에도 가사는 하나만을 듣는 이에게 바란다. 몸부림치면서도 기어가라고, 어쨌거나 달아나진 말라고, 오늘 하루를 살아가 보라고. 우린 아직 시퍼런 봄의 날들 한가운데 헤매겠지만 뭐 어쩌겠어. 이 시퍼런 봄을 살아가는 사람으로서 간신히 헤매며 봄의 끝을 찾아다녀야겠지. 그 방랑하는 시퍼런 봄의 주민들에게 이 한잔을 바친다.

SIMPLE RECIPE

준비물
청사과 리큐르 30ml, 보드카 30ml, 레몬쥬스 30ml

만드는 법
쉐이커에 얼음과 함께 쉐이킹 해준 뒤 칵테일 글라스에 식용화를 가니쉬로 얹어줍니다

CHRISTIAN - Zior Park

참으로 잘 변하고 가벼운 존재인 나이기에 그래서 나는 누구인가에 대한 질문은 참으로 무겁게 다가온다. 늘 좋아하는 것도 바뀌고 식습관도 바뀌고 좋아하는 책과 노래도 바뀌고. 무교니, 기독교인이라던가 불교도라던가 얘기하기도 힘들고. 뚜렷하게 그래도 '나는 누구다'는 확신이 든다면 좋겠지만 바람 앞의 갈대처럼 갈피를 못 잡고 휘적거릴 뿐이다. 작가라기엔 써 내려간 글이 너무나 가볍고 이룬 게 없고, 바텐더라기엔 프리랜서 상태의 사실상 백수이고, 국문과라기엔 전공보다도 다른 것들을 더 많이 하고 다닌 삶. 나도 Zior Park처럼 I'm still fxxing ~이라고 당당하게 얘기할 수 있는 내 심적 지지대가 딱 마련된다면 좋을 텐데.

이번에 만든 칵테일도 그런 혼란에서 빚어진 칵테일이다. 재료

위로는 됐고 위스키나 한잔 줘

자체가 애초에 와인이면서도 버번위스키 통에 한 번 더 숙성을 거쳐낸 혼종 중의 혼종. 거기에다 이전의 와인이 들어간 칵테일이라면 절대 안 했을 비터를 추가하고 팔각과 시나몬으로 훈연하며 훈제 파프리카 가루를 더하였다. 아마 와인을 좋아하는 사람이라면 당장 욕을 하며 내게 부어버려도 할말이 없을 듯한 그런 칵테일. 그래도 이건 still fxxing wine cocktail인걸. 이 넓고 혼란한 세상에 나 혼자만 이렇게 헤매는 것만은 아니기를. 그래도 같이 헤매는 사람들이 어디에서라도 목표는 지니고 자신을 찾아갈 수 있도록. 이 정신이 바짝 들도록 맵고 칼칼한 한잔을 그들의 여행기에 바친다.

SIMPLE RECIPE

만드는 법

와인 45ml를 시나몬과 팔각으로 훈연해준 뒤 자몽시럽 10ml, 비터 2dash를 더해준 뒤 훈연 파프리카 가루를 1tsp 얹어 줍니다. 시나몬 스틱과 팔각을 가니쉬.

스물다섯 스물하나 - 자우림

이 글을 쓰는 지금 스물일곱하고도 석 달 21일. 난 스무 살의 나, 아니 그 이전의 나와 달라진 게 있을까. 이 곡을 스물하나에 처음 듣고 스물다섯엔 기타로 쳤지만 아직도 듣는 나는 변한 게 없어 보인다. 여전히 사람을 만나는 게 제일 즐겁고. 글은 재밌지만 쓰긴 힘들고. 100부를 간신히 넘긴 판매량을 지닌 책한 권뿐이고. 아직도 반지하 자취방에서 홈바를 운영하며 종종글을 쓰고 칵테일을 만든다. 주변은 계속 바뀌고 동기들은 하나둘 취직 활동에 힘쓰는데. 나도 취직 활동에 뛰어들긴 하지만 주변이 바뀌어 가는 것만큼이나 발전은 해 나가는 건지 퇴보하는 건지 이도 저도 아니게 계속 스물다섯 스물하나 그 언저리에 머물러있는 것인지.

그래서인지 이 노래를 들으면 애틋한 사랑 노래보다는 그저 조금이나마 더 나이상으로는 어렸던 과거의 나 자신에게 해주는 말과 같이 느껴진다. 영원할 줄 알았던 스물다섯, 스물하나. 내일의 나는 또 뭔가 바뀌어 있을지도 또 주변 세상이 얼마나 바뀌어 있을지도 솔직히 감도 안 잡히지만. 그래도 스물다섯 스물하나를 플레이리스트에서 재생하면서 기분 좋게 햇살을 받으며 산책하던 그때의 느낌은 간직하면서 살 수 있기를 상큼한 20대 초반과 같은 이 칵테일을 모든 20대 초반 새로운 시작을 하는 사람들과 그때를 그리워하는 사람들에게 바친다.

SIMPLE RECIPE

만드는 법

보드카 45ml, 로제 시럽 15ml, 크랜베리 주스 15ml 얼음과 함께 쉐이킹 해준 뒤 칵테일 글라스에 담고 마무리로 위스키를 1tsp 위에 뿌려줍니다.

위로는 됐고 위스키나 한잔 줘

어쩌다보니 술쟁이 둘이서 책을 만들게 되었다

<긁> <끔>

후배녀석이 책에 쓰일 원고와 플레이리스트를 보내줬는데 이 노래가 끼어있었다. 나도 스물다섯 즈음에 싱숭생숭한 마음으로 들었던 곡.

한번쯤 공연도 해볼걸 같기도 하고.. 기억이..잘..

간가만가..

그보다 옛날에는 나보다 꼴랑 한 살 많은 선배보고 반오십이 된 기분이 어떻냐며 놀려댔던 적이 있는데 말이지 그러고보니 요새 애들은 반삼십이란 말도 쓴다던가...?

으아아아

서른이뭐어때서

이렇게 급발진하는 이유는 이제 내가 그 시절의 선배들보다도 나이가 많아져서 김광석의 <서른 즈음에>를 들을 시기가 되어가기 때문이다

점점~ 더~

멀어져~ 간다~

노래마을의 <나이 서른에 우린>이란 곡도 생각이 났고..

나이 서른에 우린~

어디에~ 있을까~

이 노래는 초등학교 졸업할 적에 담임선생님이 졸업앨범과 함께 나눠주신 CD에 들어있던 노래들 중 하나다.

헉 그러고보니 CD는 이제 고대유물이 되었어요!

그때는 당장 중학생인 내 모습도 상상할 수가 없었는데 서른 살이라니 정말 깜깜한 미래...가 아니고 걍 그때쯤이면 대충 다들 멋지게 철든 어른이 되어있지 않을까? 싶었지만..

내가? 어른이 된다고요?

꼬맹이야 시간 훅간다잉

잉

정신을 차려보니 시간은 졸라 빨랐고 얼렁뚱땅 살다가 곧 서른이 된 나는 자꾸 옛날얘기만 하고 그 때 그 시절에 갇혀 사는 어른이같단 기분이 든다...

...

그러나 오해하지 마세요. 서른이라고 슬퍼하는 게 아닙니다. 아직 젊은이라구요.

그런 의미에서 싱그럽고 파릇파릇한 초록초록 병을 준비해봤습니다

〈미도리 사워〉
미도리(멜론 리큐르) 45ml
레몬즙 30ml
설탕 2티스푼
잘 섞어주시고
탄산수를 적당히 부어줍니다

〈야매 레시피〉
미도리 45ml
사이다로 잔을 채워줍니다

〈볼프램의 변형 레시피〉
미도리 45ml
디사론노(아마레또) 30ml
피치트리 15ml
쿠앵트로(트리플 섹) 15ml
라임주스 15ml
블루 큐라소 시럽 찔끔
탄산수로 잔을 채워줍니다

멜론맛 리큐르에 온갖 달달한 과일향을 더하고 파란 색소까지 타다니,
어쩐지 어릴 적 문구점에서 본 불량식품 풍선껌 같은 맛이 나는 미도리 사워 변형 레시피입니다.
바닐라 아이스크림 한 스쿱을 올리고 체리로 장식하면
어른들의 메론소다처럼 즐길 수도 있겠죠.

　　　　　　　　　　　위로는 됐고 위스키나 한잔 줘

Apocalypse - Cigarettes After Sex

이제 현대인의 삼대 영양소는 카페인, 니코틴, 알코올이지! 농담처럼 하는 말이지만은 참 서글픈 말이다. 삼대 영양소처럼 이 셋이 없으면 더 이상 이 세상을 버텨내기 힘들다는 말이니깐. 이 칵테일을 만들어낸 건 사소한 장난에서 시작되었다. 커담, 술담한다고들 흔히 얘기하는데 술커담을 동시에 한다면 얼마나 좋을까! 근데 이제는 홈바에 오는 손님마다 이 맛으로 산다고 하는 칵테일이 되었다니…

분명히 내 몸을 해칠 건 알지만 도저히 이게 없으면 영감이 떠오르지 않고 도저히 하루를 버틸 수 없을 것 같은걸. 괜히 종종 인류 멸망 후의 시대를 다룬 만화에 술, 담배, 커피가 자주 나오는 게 아닐 거야. 아포칼립스 시대에도 우리는 카페인, 니코틴, 알코올로 또 하루를 꾸역꾸역 살아가겠지, 그래도 또 하루를 살아가겠지, 늘 그랬던 것처럼. 적어도 그 여정에 영양소를 고루 갖춘 식사처럼 삼대 영양소를 다 갖춘 이 칵테일 한잔이 그들의 연료가 되기를. 아포칼립스가 오더라도 계속해서 살아갈 우리를 위해 이 칵테일 한 잔을 바친다.

SIMPLE RECIPE

만드는 법

커피리큐르 30ml, 우유 60ml 잔에 부어준 뒤 시나몬 스틱에 불을 붙여 가니쉬 해줍니다

All I Wanna Do - Jay Park

나는 기본적으로 열정과 욕망이 있는 사람 또는 캐릭터를 매우 좋아한다. 좋아한다는 말보다는 애정하고 선망한다고 해야 할지. 욕망은 사람을 바꾸는 힘을 가진다. 좋은 몸을 가지고 싶은 사람에게는 운동과 식단 조절을 하게 만들고, 애인이 가지고 싶은 사람에게는 자신을 꾸미게 만들고, 나 같은 사람에게는 하루 벌어 하루 먹고 살다가 위스키 한 병을 사기 위해 일하고 글을 쓰게 만든다. 왜? 하고 싶고 가지고 싶고 이루고 싶으니까.

자기암시 같은 욕망을 무조건 나쁘게만 얘기할 수 있을까. 물론 그 욕망에 종류나 질에 따라는 다르겠지만 난 사람이 바뀌는 그리고 살게 하는 주 원동력은 결국 욕망이라 생각한다. 그래서 난 Jay Park을 참 선망하고 시기하고 존경할 수밖에 없

위로는 됐고 위스키나 한잔 줘

다. 그의 꾸준한 음악 활동에, 그의 꾸준한 관리와 짐승돌다운 몸매에, 그리고 각종 레이블을 이끌면서도 자신의 활동과 더불어 페이머스 버거와 원소주를 진행하는 그 추진력에. 그 열정을 조금이라도 얻어가고자 원소주 팝업스토어에까지 찾아갔었지만 아쉽게도 그를 실물로 보진 못하고 원소주 대표 칵테일인 원 밀리네어 한 잔을 마시고 돌아오게 되었지만.

언젠가 나도 그를 실물로 보겠다는 열정과 욕망이 생긴다면 공연을 예매해서든 혹시나 그가 바를 차리게 되어 그 바에 바텐더로서든 손님으로써든 찾아가 만나게 되겠지. 그날까지도 계속 Jay Park이 그 열정과 욕망을 꾸준히 이어가는 사람으로서 내 선망의 대상으로 계속하여 남아주었으면 좋겠다. 이 칵테일이 그 열정을 계속해서 이어주길 바라며, 로얄 샬루트, 글렌모렌지, 발렌타인, 잭다니엘, 원소주 Let's go!

SIMPLE RECIPE

만드는 법

원소주 45ml, 로제 시럽 15ml, 레몬주스 3dash, 탄산수를 하이볼 잔에 빌드 해준 뒤 레몬 휠을 가니쉬

냉탕에 상어 - 수퍼비

꽤 어린 시절부터 글을 써오는 나이지만 동심이란 게 진짜 어렵단 말이지. 분명히 난 꽉 쥐고 안 놓아줬다 싶었지만 어느새 줄줄 새어 나와 머리만 큰 어른이 되고 말았다. 이젠 냉탕에 상어가 있을 것 같다는 두려움 보다는 이번 달에 내야 할 전기세가 더 무서워, 망태할범보다는 오른 물가와 떨어져 가는 내 주식이 무서워. 가끔은 슬슬 머리가 빠져가는 것 같아서 내 모근조차 무서워. 오늘도 무서워 벌벌 떨며 진정제 한 알을 털어 넣고는 위스키에 취해서 잘 내 모습이 무서워.

동심은 잃어가도 무서운 것들만 계속 늘어가는데 내 동심은 무심하게도 자꾸 내 곁을 떠나간다. 언젠가 영영 동심을 잃으면 이런 장난 같은 글도 쓰진 못하겠지. 냉탕에 상어처럼 이런 젤리를 잔뜩 올린 어릴 적 내가 좋아할 법한 장난 같은 칵테일도 만들진 못하겠지. 자꾸만 동심 너를 잃으면서 못 할 것 같은 것들이 늘어나는 게 너무 무서워 또 오늘도. 그래도 난 이제 어른이니까 무서워할 수만은 없겠지. 무심히 떠나가는 동심 너를 후련하게 보내줘야겠지. 그래도 이 장난 같은 칵테일을 만들 때만은 곁에 잠시 머물러 주길. 이젠 날 떠나버린 내 동심에 이 칵테일 한잔을 바친다.

SIMPLE RECIPE

만드는 법

보드카 30ml, 피치트리 30ml, 블루큐라소 15ml를 쉐이킹 해준 뒤 잔에 그라나딘 시럽을 먼저 붓고 빌드 해줍니다. 상어젤리로 가니쉬

위로는 됐고 위스키나 한잔 줘

라고 상어가 없는 건 아니더라'

Love is dangerous – 터치드

Love is painful? Love is happiest thing ever? Love is dangerous!

사랑이란 게 참 뭔지. 나야 중독을 사랑이라고 얘기하고 다니기에 Love is dangerous라 말하는 터치드의 이 곡이 너무나 마음에 든다. 누군가에겐 사랑은 달콤하고 누군가에겐 사랑은 너무나 쓰라리고 아플 수 있겠지. 그 속에서 나는 당당하게 외치련다. 사랑은 위험이라고! 이 중독적이고 위험한 한잔을 모든 사랑하는 그대들에게 바친다.

위로는 됐고 위스키나 한잔 줘

만드는 법

카시스 20ml, 오버프루프 럼 30ml, 레몬즙 10ml, 하드 쉐이크
후 플람베

고릴라 - 최예근

차라리 도망가는 게 좋겠어. 어른이 되어간다는 것에 대해서 최예근 아티스트는 항상 공감 가고 마음 아픈 결론을 이뤄낸다. 가끔은 아이처럼 행동하고 싶은 어른은 되지 못할 나의 모습. 어쩌겠어! 노랫말처럼 기린처럼 목을 끄덕끄덕할 수밖에. 모든 일들이 말장난처럼 쉽게만 풀려간다면 좋겠지만 그럴 수 없는 걸 난 어른이니깐. 어쩌라고, 어쩌라고, 어쩌라고, 어쩌라고, 어떻게든 되겠지. 뭐.

만드는 법

진 45ml, 파이브 베리 믹스 80g, 심플 시럽 15ml, 레몬즙 10ml, 갈아내서 프로즌 스타일로 완성

위로는 됐고 위스키나 한잔 줘

고속도로 로망스 – 숲튽훈, 주르르

창을 열어! 소리쳐봐! 우리는 바다로 가요~! 이 답답한 도시는
언제 벗어날 수 있을는지. 현실은 서울 대도시의 동쪽 어디 반
지하 골방에서 글만 끄적이며 일을 하는 나이지만 마음만은
이 노래와 함께 제주도 어디 해안도로를 오픈카를 타고 질주
중인 그런 나날들. 그래도 휴가를 언젠가는 내고 꼭 제주도 푸
른 바다를 가고 말 거야…. 가서 모히또에서 몰디브 한잔을 하
고 말 거야. 그래도 그전까지는. 이 노래로 만족을 하며 이 칵테
일을 한잔.

위로는 됐고 위스키나 한잔 줘

SIMPLE RECIPE

만드는 법

바질 생잎 7장, 설탕 1스푼, 라임 반 개, 럼 45ml, 탄산수. 잔에 바질 잎과 라임, 설탕을 넣고 머들링 해준 후 럼과 얼음을 넣고 탄산수로 필업.

—————

작가의 편지

—————

안녕하세요. 이로써 두 권의 책을 출간하게 된
글쓴이 외 1명입니다.

위로는 됐고 위스키나 한잔 줘

20대 초반의 어린 저는 삶이 중독이라는 편협하고 작은 식견을 내놓았습니다. 그러면서도 하나에 중독되지 못한 저를 자책하며 온갖 중독적인 것을 찾아다녔죠. 과음하고 과식하고 흡연하며 지나치게 많은 사람들을 만나왔습니다.

어떤 부류의 사람인들 다들 저보다 대단해보였거든요.
하나에 집중해서 중독되어있는 모습이.
난 가질 수 없는 마음인데라는
허무감이 커질 뿐이었습니다.

위로는 됐고 위스키나 한잔 줘

근데 또 막상 이런저런 일을 겪다 보니 꼭
중독적인 것만 인생이 아니더라구요.

적게 마셔도 기분 좋게 취할 수 있고,
좋은 사람들만 골라 만나볼 수도 있고,
한 잔의 위스키가 한 마디 말보다도 위로가 된다는 걸
뒤늦게나마 몸으로 배워가는 나날입니다.

위로는 됐고 위스키나 한잔 줘

이 또한 어린 저의 마음일지도 모르겠지만
목표나 중독이 없다면 뭐 어때요.
잔이 비었으면 빈 대로 채우면 되고
넘치겠다 싶으면 얼른 마셔주는 게 술자리고 삶이겠죠.

그냥 그 얘기가 하고 싶었어요. 뭐가 어찌되든
잔 한 잔 채우고 심심하거든 같이
한 잔 하러 오라구요.

위로는 됐고 위스키나 한잔 줘

-들어주셔서 감사합니다-

위로는 됐고 위스키나 한잔 줘

위로는 됐고 위스키나 한잔 줘

위스키로 건네는 한 잔의 위로

발행일 2024년 8월 20일

지은이 외일명 volflamm
펴낸이 마형민
편집 이은주
디자인 김안석
펴낸곳 (주)페스트북
주소 경기도 안양시 안양판교로 20
홈페이지 festbook.co.kr

ISBN 979-11-6929-555-0 03810
값 16,000원